• Guias Ágora •

Os Guias Ágora são livros dirigidos ao
público em geral,
sobre temas atuais, que envolvem
problemas emocionais e psicológicos.
Cada um deles foi escrito por
um especialista no assunto,
em estilo claro e direto,
com o objetivo de oferecer conselhos e
orientação às pessoas que
enfrentam problemas específicos,
e também a seus familiares.

Os Guias descrevem as características gerais
do distúrbio, os sintomas, e,
por meio de exemplos de casos,
oferecem sugestões práticas que ajudam
o leitor a lidar com suas dificuldades
e a procurar ajuda profissional adequada.

Dados Internacionais de Catalogação na Publicação (CIP)
(Câmara Brasileira do Livro, SP, Brasil)

Breton, Sue, 1947-
  Depressão : esclarecendo suas dúvidas / Sue Breton ; [tradução ZLF Assessoria Editorial]. — São Paulo : Ágora, 2000. — (Guias Ágora).

  Título original: Depression.
  Bibliografia.
  ISBN 85-7183-705-8

  1. Depressão mental I. Título. II. Série.

99-4442   CDD-616.8527
                                  NLM-WM 460

Índices para catálogo sistemático:
1. Depressão mental : Medicina   616.8527

Compre em lugar de fotocopiar.
Cada real que você dá por um livro recompensa seus autores
e os convida a produzir mais sobre o tema;
incentiva seus editores a encomendar, traduzir e publicar
outras obras sobre o assunto;
e paga aos livreiros por estocar e levar até você livros
para a sua informação e o seu entretenimento.
Cada real que você dá pela fotocópia não autorizada de um livro
financia o crime
e ajuda a matar a produção intelectual de seu país.

Depressão

Esclarecendo suas dúvidas

Sue Breton

ÁGORA

Do original em língua inglesa
Depression
Copyright © 1996 by Sue Breton
Primeiramente publicado na Grã-Bretanha, em 1996,
por Element Books Limited, Shaftesbury, Dorset.

Tradução:
ZLF Assessoria Editorial

Capa:
Ilustração: Max Fairbrother
Finalização: Neide Siqueira

Editoração eletrônica e fotolitos:
JOIN Bureau de Editoração

Proibida a reprodução total ou parcial
deste livro, por qualquer meio e sistema,
sem o prévio consentimento da Editora.

Nota da Editora:
As informações contidas nos Guias Ágora
não têm a intenção de substituir
a orientação profissional qualificada.
  As pessoas afetadas pelos problemas
aqui tratados devem procurar médicos,
psiquiatras ou psicólogos especializados.

Todos os direitos reservados pela
  Editora Ágora Ltda.

  Rua Itapicuru, 613 – cj. 82
  05006-000 – São Paulo, SP
  Telefone: (11) 3871-4569
  http://www.editoraagora.com.br
  e-mail: agora@editoraagora.com.br

Sumário

Introdução 7

1   Diferentes tipos de depressão 9

2   Outros transtornos com características depressivas . . . 19

3   O que causa a depressão? 31

4   O corpo e a depressão 43

5   Como é se sentir deprimido? 53

6   Suicídio 67

7   Existe alguma ajuda? 75

8   Como a família e os amigos podem ajudar 83

9   O que você pode fazer para se ajudar 89

10   Relacionamentos e depressão 101

11   É possível evitar a depressão? 113

Notas 121

Leituras complementares 122

Glossário 123

Índice remissivo 127

Introdução

Quem nunca disse, em um momento ou outro, "estou deprimido"?

Essa é uma frase que rapidamente deixamos escapar quando estamos aborrecidos ou infelizes. No entanto, quando dizemos isso, não queremos dizer que estamos clinicamente deprimidos, talvez querendo ou precisando de tratamento. Uma fada-madrinha ou um gênio da lâmpada seriam bem-vindos, para que pudéssemos realizar nosso desejo de ganhar na loteria ou seja o que for. Mas uma visita ao psiquiatra — nem pensar!

Entretanto, o próprio fato de estar lendo este livro sugere que você ou alguém com quem você se preocupa tem um problema de depressão.

O objetivo deste livro é, primeiro, ajudá-lo a decidir se a forma particular de depressão com a qual está envolvido é do tipo que você pode tentar aliviar sozinho, ou se é do tipo que realmente não vai melhorar muito nem rapidamente sem ajuda profissional. Segundo, ele oferece uma orientação tanto para aqueles que estão deprimidos como para aqueles que compartilham a vida de uma pessoa deprimida. Neste livro, descrevo brevemente as diferentes categorias de diagnóstico da depressão, bem como os sintomas comuns associados a cada tipo.

Este livro não constitui necessariamente uma alternativa à ajuda profissional. Como já disse, existem alguns

8   *Depressão*

tipos de depressão que necessitam de tratamento psiquiátrico, e deixarei bem claro quais são. Há os que podem ser ajudados por tratamento com um antidepressivo apropriado, receitado por um médico, e ainda outros que podem se beneficiar com alguma terapia e para os quais a abordagem indicada neste livro pode ser útil. Finalmente, existem alguns tipos de depressão que provavelmente se curarão sozinhos, com o tempo. A cura, porém, pode ser antecipada, se você seguir alguns conselhos que oferecemos aqui.

CAPÍTULO 1

Diferentes tipos de depressão

A maneira segundo a qual se classifica a doença depressiva foi mudada recentemente. Na prática, isso só interessa realmente a pesquisadores e estudiosos, mas você pode conhecer alguém, um parente ou amigo, que foi diagnosticado com o sistema antigo e gostaria de saber qual seria seu diagnóstico agora.

Até muito recentemente, a depressão era classificada como reativa ou endógena. Acreditava-se que a depressão reativa era causada por um determinado episódio. Em outras palavras, a pessoa tornava-se deprimida em reação a coisas que aconteceram em sua vida, como luto, doença grave, demissão do emprego etc.

A depressão endógena era a que acontecia sem razão óbvia: de acordo com o que a pessoa conseguia se lembrar, nada tinha acontecido para fazê-la ficar deprimida. Endógena significa "vir de dentro", e acreditava-se que essas depressões se deviam a mudanças bioquímicas dentro do corpo, embora ninguém soubesse com certeza o que as provocava.

Havia também pessoas que passavam fases como maníacas ou eufóricas, depois das quais entravam em depressão profunda. A esse comportamento se chamava de psicose maníaco-depressiva.

Essas definições ainda são úteis. A depressão é uma forma do que se conhece como um transtorno afetivo ou de humor porque está primariamente ligada a uma mudança de disposição de humor. Existem muitos profissionais que ainda preferem o sistema antigo, e isso não faz diferença para o tratamento. Na figura 1 temos uma comparação entre os dois sistemas.

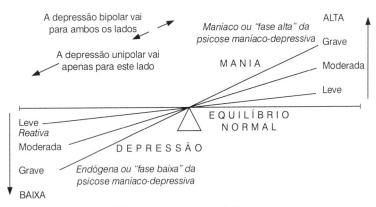

Figura 1. *A gangorra do humor*

A principal distinção que se faz atualmente é entre as depressões unipolar e bipolar. Essas definições não são tão complicadas como podem parecer à primeira vista. Unipolar quer dizer simplesmente "uma ponta", e o termo é usado para descrever todas as formas da doença depressiva em que os pacientes apenas se sentem "para baixo". As depressões unipolares não apresentam uma fase maníaca. As pessoas que passam por essa fase são diagnosticadas com um quadro de depressão bipolar, de "duas extremidades".

Essa mudança na classificação aconteceu em parte porque a pesquisa demonstrou que as depressões bipolares, que apresentam as duas fases, alta e baixa — quer sejam leves ou graves —, têm mais em comum umas com as

Diferentes tipos de depressão   11

outras do que com os transtornos que apresentam apenas a disposição deprimida — os transtornos unipolares.

Após verificar se a doença tem apenas a fase baixa ou ambas, a baixa e a alta, as outras classificações tratam tão-somente do seu grau de gravidade (ver figura 1). Vamos agora considerar os diagnósticos um por um e examinar suas características essenciais.

TRANSTORNO DE HUMOR

A primeira atitude a tomar é verificar se a pessoa sofre de humores *anormais*, seja maníaco ou depressivo. Se for esse o caso, então ela sofre de alguma forma de doença depressiva. Mesmo aqueles que começam com humores anormalmente elevados cairão em depressão em algum ponto.

Casos leves, tanto de mania quanto de depressão, podem passar despercebidos. As pessoas freqüentemente os consideram mudanças normais. Para identificá-los como doença, é necessário verificar a existência de outros sintomas.

TRANSTORNO AFETIVO BIPOLAR

Esta é a forma de doença depressiva em que a pessoa alterna períodos em que se sente alegre com períodos de depressão. A gravidade desses períodos pode variar de pessoa a pessoa.

O termo "mania" é usado para descrever as formas graves de temperamento quando "alto". Nesse estado, a pessoa mostra sintomas psicóticos e pode ter alucinações ou delírios. Alucinações são experiências sensórias que realmente não existem. A forma mais comum de alucinação é quando a pessoa pensa ouvir vozes. Atualmente, algumas pessoas informam que recebem mensagens especiais através do aparelho de televisão. Outras deliram

12 *Depressão*

acreditando que são personalidades importantes como a rainha Elisabete ou Napoleão. Então, na vida real, elas atuarão como se fossem tais personalidades sem entender que não são. Sua incapacidade de ver que estão fazendo algo ilógico e irracional é chamada de falta de discernimento.

Essa fase em geral acontece de repente e pode durar de duas semanas a cinco meses em média. Depois que passa, a pessoa volta a apresentar um comportamento normal.

A forma menos grave de "altos" nos transtornos bipolares é a hipomania, em que a pessoa tem um aumento de energia e tende a ficar mais ativa do que o normal. No entanto, não tem alucinações nem delírios. Não perde o contato com a realidade no sentido de que sabe quem é e o que é real. Contudo — o que pode ser um problema —, ela tende a superestimar suas capacidades e não vê os riscos óbvios envolvidos em suas ousadias. Por exemplo, se está em algum negócio, pode repentinamente decidir expandi-lo de uma maneira que realmente não é viável, ou planejar ações para as quais está mal preparada. Outras formas desse comportamento incluem direção imprudente, farras, bebedeiras, jogos e aventuras sexuais. Pode ainda ter muitas idéias novas, sem levá-las adiante. Freqüentemente é uma companhia muito alegre, mas pode ficar mal-humorada ou impaciente se não consegue fazer o que quer.

Lembro-me do caso de Reginaldo, um contador. Durante um fase maníaca moderada, ele pensou que poderia ganhar mais dinheiro e "investiu" o depósito de um cliente em corrida de cavalos. O cavalo em que apostou ganhou, e ele resolveu investir mais.

A esposa de Reginaldo começou a se preocupar com seu comportamento em casa. Ele parecia inquieto e incapaz de se concentrar à noite na televisão ou no jornal, como geralmente fazia. Também parecia passar noites insones e acordava cada vez mais cedo, e então perambulava pela casa, sem fazer nada em particular. Sua esposa supôs que ele estivesse preocupado com o trabalho, mas, quando falou sobre isso com seu sócio em um encontro social, o sócio insistiu que Reginaldo parecia muito bem.

O fato é que Reginaldo e seu sócio se encontravam pouco no trabalho e, quando se encontravam, Reginaldo sempre parecia alegre. Essa era uma manifestação externa de sua mania, mas passou despercebida porque nenhuma das pessoas próximas a ele, nem sua esposa nem seu sócio, puderam se inteirar do quadro todo.

As coisas acabaram fugindo do controle e Reginaldo começou a perder mais do que ganhava. Finalmente, em desespero, foi até uma cidade com cassino e tentou ganhar tudo o que havia perdido.

Não é incomum que uma pessoa na fase maníaca também apresente sintomas que estão mais freqüentemente associados com a fase depressiva. Esses sintomas podem ser agitação, incapacidade de se concentrar em qualquer coisa, e desinteresse por alguns aspectos da vida, em particular sexo.

A mesma coisa pode ocorrer durante a fase depressiva do transtorno bipolar: as pessoas podem mostrar alguns sintomas maníacos, particularmente atividade e conversa excessivas.

A fase depressiva do transtorno afetivo bipolar pode durar até seis meses. Os sintomas são semelhantes aos da depressão unipolar, descritos nas páginas seguintes. Qualquer transtorno depressivo que tenha uma fase maníaca, por mais leve que seja, provavelmente será recorrente; não é comum encontrar pessoas que tenham somente um único episódio depressivo na vida.

TRANSTORNO AFETIVO UNIPOLAR

O transtorno unipolar consiste de períodos de depressão de vários graus de gravidade. A classificação do episódio

14 *Depressão*

em leve, moderado ou grave depende do número de sintomas diferentes presentes e do tipo de sintomas que se manifestam e em que grau. Por exemplo, uma depressão que apresenta alucinações e delírios será quase certamente classificada como grave.

Outro indicador para verificar a gravidade do transtorno é constatar até que ponto o deprimido consegue levar adiante sua vida normal. Quanto menos for capaz, maior a gravidade da doença.

Para que um transtorno seja classificado como depressão, é preciso que haja evidência de humor "para baixo". Esse humor baixo pode variar levemente durante o dia, mas em geral não é possível alegrar a pessoa, e essa é a principal distinção entre simplesmente estar infeliz e estar clinicamente deprimido. Pessoas meramente infelizes podem ser arrastadas para fora de seu humor pelas circunstâncias, por amigos ou por alguma coisa boa que aconteça. As pessoas deprimidas quase nunca são afetadas pelos acontecimentos felizes. Seu humor não melhora em resposta ao que acontece ao seu redor. Em geral permanecem emocionalmente planas e indiferentes, esses são os termos usados.

Episódios depressivos, seja qual for sua gravidade, apresentam alguns ou todos os sintomas seguintes:

- Perda de interesse ou incapacidade de sentir prazer com atividades que normalmente são consideradas agradáveis pelos outros. Também falta de desejo de se envolver em coisas que antes proporcionavam prazer. Perda de interesse em sexo também é uma característica da depressão.
- Capacidade de concentração reduzida, o que também prejudica a memória no que diz respeito às coisas do dia-a-dia, como se esquecer do que foi buscar no quarto. Isso não se deve a um problema de memória, mas porque a falta de concentração impede

Diferentes tipos de depressão 15

que o cérebro registre o que supostamente deveria lembrar. As pessoas podem achar que demoram mais do que o usual para absorver informação ou raciocinar. Tarefas bastante simples como fazer um bolo, programar o vídeo, ir ao supermercado podem exigir um esforço grande e podem até ser abandonadas por estarem sobrecarregando em demasia o indivíduo.

- Sono agitado. Muitas pessoas deprimidas ficam sem energia e se cansam facilmente, mas não conseguem dormir bem à noite. É comum irem para cama cedo; depois, acordam de madrugada e são incapazes de voltar a dormir, embora se sintam cansadas. Muitas pessoas deprimidas sentem-se mais deprimidas logo no começo da manhã e não querem se levantar.
- Variação de apetite. A maioria das pessoas perde o interesse por comida, assim como por tudo o mais, quando estão deprimidas. Algumas, no entanto, podem ter um grande desejo por "alimentos gratificantes" e se enchem de carboidratos como chocolates, bolos e salgadinhos. O peso varia dependendo do desejo por comida.
- Auto-estima e autoconfiança reduzidas. Alguns pesquisadores da área acreditam que a baixa auto-estima pode ser uma característica de pessoas que são suscetíveis à depressão, ainda que no momento não estejam deprimidas. De acordo com esses pesquisadores, a baixa auto-estima simplesmente se torna mais pronunciada durante o episódio depressivo. Discutiremos o assunto mais adiante, no capítulo 3.
- Idéias de culpa e de autodepreciação. Isso também pode estar relacionado com a baixa auto-estima. Em episódios de depressão grave, esses sentimentos de depreciação podem se acentuar com alucinações na forma de vozes que dizem ao deprimido como ele é desprezível.

16   *Depressão*

- Percepções sombrias e pessimistas do futuro. Esse sintoma apresenta graus variados de gravidade. A pessoa deprimida tende a distorcer as possibilidades do futuro e projetar o pior cenário possível. Trata-se de uma das maiores dificuldades a se vencer no tratamento da depressão. Como examinaremos mais detalhadamente no capítulo 4, os pensamentos pessimistas por si só podem mantê-lo deprimido.
- Idéias ou atos de autodestruição ou suicídio. Esse sintoma está ligado aos anteriores. Como a pessoa se sente indigna e vê o futuro em termos sombrios, ela sente que não há sentido em continuar vivendo. Pensa em suicídio e em maneiras de cometê-lo, embora possa não colocar nada em prática realmente.
- Perda de sentimentos. Refere-se à perda de qualquer desejo de expressar afeto ou interesse pelos outros. A única emoção que a pessoa sente parece ser o vazio que pode ser descrito se imaginarmos um ator amador muito ruim tentando interpretar um papel apenas pronunciando as palavras e realizando os gestos, sem ter nenhum sentimento sobre o que está fazendo.
- Pouca tolerância. Algumas pessoas ficam menos capacitadas para agüentar barulhos e luminosidade.

Os sintomas acima, e sua gravidade, dependem do grau de depressão em que a pessoa se encontra.

Depressão leve

A depressão leve pode incluir qualquer dos sintomas descritos acima e sempre se caracteriza pelo humor deprimido. A pessoa também mostrará um interesse diminuído por coisas que normalmente achava interessantes ou agradáveis.

Como esta é apenas a forma leve do transtorno, os sintomas não são fortes. Os deprimidos podem continuar sua vida normalmente, apenas parecem tristes e possivelmente menos vivos nos pensamentos e nos interesses. Podem parar de fazer coisas que realmente não são obrigados a fazer, mas com freqüência continuam fazendo as essenciais, como ir ao trabalho ou resolver os assuntos da família. No entanto, tendem a não ser tão responsáveis quanto antes; podem ficar chateados porque sentem que não estão sendo tão eficientes quanto deveriam, por estarem demasiado cansados.

Depressão moderada

Na depressão moderada estão presentes mais sintomas do que os detectados na depressão leve e são usualmente mais óbvios. As pessoas podem achar muito difícil continuar no trabalho ou realizar as tarefas cotidianas, podendo abandoná-los.

Depressão grave

Os que sofrem desta forma de depressão provavelmente não funcionam com nenhum grau de segurança. Tendem a não ter desejo de conversar com outros nem de cuidar deles mesmos. Podem mostrar grande inquietação e agitação geral, mas nada fazem de construtivo. Todos seus movimentos são sem objetivo.

Em alguns casos, os sentimentos de não terem valor e o autodesgosto podem levar essas pessoas a "ouvir vozes", as quais lhes dizem que elas não são boas em várias coisas, ou que fizeram coisas terríveis. Podem também acreditar

18   *Depressão*

que foram visitadas pelo demônio ou por outras forças do mal. As pessoas neste estado são incapazes de ter uma vida normal.

Uma das maiores complicações dos transtornos depressivos é que, quanto mais graves os sintomas, menos capazes são os deprimidos de se motivar para tomar alguma atitude em relação ao problema. Por outro lado, os que sofrem apenas da forma leve do transtorno estão inclinados a pensar que estão fazendo muito barulho por nada e que deveriam tentar "juntar seus pedaços". Tampouco eles, portanto, procuram a ajuda de que necessitam.

A depressão possui uma espiral viciosa para baixo que engole a pessoa se ela não tomar cuidado. Quanto mais deprimida estiver, menos inclinada estará a fazer alguma coisa positiva a esse respeito e tanto mais afunda.

É por essa razão que a ajuda de outros é quase essencial — mas tem de ser o tipo certo de ajuda, ou as coisas podem piorar ainda mais. Nos capítulos 8 e 9, tento explicar a ajuda que é mais benéfica.

CAPÍTULO 2

Outros transtornos com características depressivas

Além das doenças nas quais a depressão é o sintoma principal, como descrito no capítulo 1, existem vários outros transtornos nos quais ela desempenha um papel parcial. Eles estão incluídos aqui porque a orientação dada para lidar com o elemento depressivo pode ser útil também nesses casos.

DEPRESSÃO BREVE RECORRENTE

A depressão breve recorrente é muito semelhante aos exemplos de depressão unipolar dados no capítulo 1; sua duração, porém, é bem curta. Isso faz com que as pessoas se perguntem se realmente se trata de um transtorno depressivo ou algo completamente diferente.

A duração média do humor deprimido neste transtorno é de apenas três dias, e poucos episódios duram mais de uma semana. Como são muito curtos, tem sido difícil estudá-lo em detalhes. É particularmente difícil verificar os efeitos dos remédios antidepressivos, pois em geral são necessárias de duas a três semanas para que se notem seus efeitos, e nesse período um caso de depressão breve já apresentou melhoras.

Um aspecto importante desse transtorno, no entanto, é ser recorrente — ele volta, o que significa que a pessoa

20   *Depressão*

terá outro episódio depressivo entre uma a cinco semanas mais tarde. No decurso de um ano, ele ocorre de doze a vinte vezes.

Embora ocorra cerca de uma vez por mês, não está associada com o ciclo menstrual feminino. Homens e mulheres parecem tê-la em porcentagens iguais. Os sintomas são muito parecidos com os das depressões unipolares.

Como é de se esperar quando alguém sofre de transtorno tão perturbador e desagradável com certa freqüência, o risco de suicídio é muito alto.

A descoberta desse transtorno é recente e pesquisas estão sendo realizadas atualmente a fim de descobrir mais sobre ele.

DEPRESSÃO MASCARADA

Se você der uma olhada nos sintomas descritos nas páginas anteriores, verificará que alguns deles são psicológicos — por exemplo, a perda da auto-estima, a incapacidade de concentração e a falta de sentimentos. Outros são físicos — perturbações no sono, mudanças de apetite, perda do desejo sexual, fala, movimento e pensamentos mais vagarosos e intolerância ao barulho e à luminosidade. Acredita-se que pode haver uma forma de depressão que passa despercebida porque, embora os sintomas físicos possam ser semelhantes, os psicológicos não existem ou o paciente não os menciona por uma razão ou outra. Sugeriu-se que esses transtornos se devem às mesmas causas físicas ou similares as que provocam outras doenças depressivas unipolares (embora ainda não saibamos exatamente quais são essas causas).

No século XIX havia um transtorno chamado neurastenia, descrito como uma doença em que o paciente experimentava grande fadiga. Acreditava-se que era mais comum entre as pessoas cultas e pensava-se que suas causas eram

Outros transtornos com características depressivas 21

ambientais, isto é, provocadas pelo que hoje consideramos fatores de estresse, como perturbação emocional, experiências ruins e sobretrabalho. A cura, dizia-se, era o descanso.

A neurastenia ainda é diagnosticada nos países orientais, como na China, Hongcong e Taiwan. No Ocidente, todavia, a fadiga é considerada um sintoma de outros transtornos, e não uma doença em si.

Alguns psiquiatras chamaram a atenção para o fato de que o que hoje chamamos de Síndrome da Fadiga Crônica (SFC) tem forte semelhança com o que os vitorianos denominavam neurastenia. A SFC era também chamada de "gripe yuppie" porque foi primeiro identificada como um problema experimentado por aqueles que estavam se esforçando para subir a escada do sucesso e geralmente ocorria depois que o indivíduo tinha contraído uma infecção virótica, como uma gripe. Era também conhecido como ME (Myalgic Encephalomielitis), mas atualmente se considera que a Síndrome da Fadiga Crônica seja o nome mais adequado, tendo em vista os sintomas.

Olhando para trás, quase sempre é possível identificar algum estresse ou pressão na vida da pessoa antes do início do transtorno. Ele ou ela geralmente apresentam muitos dos sintomas físicos da depressão, mas raramente os psicológicos. Isso levou alguns pesquisadores a sugerir que pode se tratar, na verdade, de uma forma mascarada de depressão.

As pessoas que sofrem de SFC, contudo, relutam em aceitar o diagnóstico psiquiátrico por causa do estigma que parece estar associado a ele. Ainda existe uma crença, entre o público em geral, de que a doença física é "real" enquanto a psiquiátrica é, de alguma forma, "imaginária" ou menos respeitável. Espero que este livro, onde mostrarei a possível relação entre mente e corpo em *todas* as doenças, ajude a convencê-lo de que esse ponto de vista está errado. Infelizmente, é pouco provável que a atitude do

22   *Depressão*

público mude muito rapidamente a esse respeito, apesar dos esforços de todos os envolvidos. Somente quando pudermos finalmente diagnosticar doenças como a depressão por meio de exames comuns ou algo similar, os que sofrem de transtornos de humor terão o mesmo grau de aceitação que aqueles que têm problemas "aceitáveis", como angina ou diabetes.

TRANSTORNO AFETIVO SAZONAL (TAS)

No século XIX já existiam relatórios na França acerca de uma variação na freqüência de transtornos psiquiátricos e de suicídios com as mudanças das estações.

Os que sofrem desta forma de depressão ficam doentes quando os dias ficam mais curtos e eles já não têm tanta luz do sol quanto necessitam. Muitos descobriram que ajuda tirar férias no inverno e ir para lugares ensolarados.

Os sintomas deste transtorno são semelhantes aos episódios de depressão unipolar (veja as páginas 14 e 15). Há um transtorno no sono, em particular a tendência a querer dormir todo o tempo. Os sentimentos de depressão são geralmente piores à tarde e à noite. As pessoas que sofrem de TAS estão mais propensas do que outros depressivos a ter vontade de ingerir alimento com carboidratos como bolos, batatas e chocolate, portanto, têm mais probabilidade de ganhar peso do que perdê-lo.

Para que um episódio depressivo seja classificado como TAS em uma pessoa que viva ao norte do Equador, é necessário que haja uma repetição regular dos sintomas depressivos entre o começo de outubro e o fim de novembro. O paciente ou se recuperará completamente, ou caminhará para a fase maníaca entre meados de fevereiro e de abril.

As causas possíveis deste transtorno e os métodos de tratamento serão discutidos nos capítulos 4 e 7. É interessante notar que o desejo de dormir por períodos longos

Outros transtornos com características depressivas 23

e a vontade de comer determinados alimentos não são contrários ao comportamento completamente natural de animais que hibernam durante os meses de inverno.

ANSIEDADE

Em várias ocasiões recentes fui chamada para visitar pacientes em tratamento da síndrome do pânico. Ao examiná-los, encontrei um padrão semelhante. Eles me diziam que haviam tido ataques de pânico no passado, mas que invariavelmente ficaram melhores por vontade própria. Agora, no entanto, os ataques voltaram de repente, sem nenhum motivo aparente.

As pessoas que sofrem da síndrome do pânico tendem a apresentar reincidência nas épocas de estresse e depois, quando este se resolve, o pânico se resolve também — até um próximo episódio. Nos casos em questão, iniciei o tratamento instruindo meus pacientes a como vencer o pânico por meio da prática de algumas técnicas de relaxamento.[1]

Tipicamente, na visita seguinte, três semanas mais tarde, eu descobria que, apesar dos esforços dos pacientes em fazer o que eu havia pedido, o pânico não melhorara. Eu os encorajava a continuar tentando, provavelmente usando outras técnicas. Outro mês mais ou menos se passaria e, na terceira visita, cerca de dois meses depois da primeira, o quadro se tornava claro. Nessa visita, os pacientes obviamente estavam deprimidos, chorosos, sem dormir direito, tendo pensamentos de autodepreciação e suicídio etc. Agora tornava-se óbvio que não eram casos de síndrome do pânico, mas sim episódios depressivos. Depois de tratados com o antidepressivo adequado, não apenas desaparece a depressão como também o pânico.

A depressão também pode ser mascarada pela ansiedade nos casos em que as pessoas se sentem impotentes e incapazes de controlar suas vidas. (Para saber mais sobre

24 *Depressão*

o papel desempenhado pelo sentimento de impotência, ver capítulo 5.) Posso demonstrar isso mais efetivamente com o exemplo de um problema que uma amiga foi chamada a enfrentar.

Minha amiga trabalha na prefeitura, mudando as pessoas de acomodações públicas que se tornaram inadequadas para locais mais apropriados. Seu problema começou quando ela teve que convencer a sra. Johnson a mudar de uma casa úmida e arruinada de dois quartos no centro da cidade para um apartamento mais moderno de um quarto.

A sra. Johnson é uma mulher por volta dos quarenta anos, desempregada. Tem um filho que já não vive com ela. Divorciou-se duas vezes. Ela já havia se queixado a várias pessoas da prefeitura, dizendo-lhes que era necessário que fizessem alguma coisa sobre a umidade e friagem de sua casa. Quando lhe disseram que seria melhor mudar-se, achou que era uma boa idéia. Foi apenas quando teve que examinar o apartamento em perspectiva que se tornou "difícil".

Minha amiga estava no final de sua paciência quando me contatou. Inicialmente, a sra. Johnson tinha concordado em mudar para um apartamento a alguns quilômetros de distância do centro. Tinha insistido para que o apartamento fosse reformado antes de sua mudança. Aparentemente, o supervisor tinha concordado e dinheiro foi gasto para colocar um novo piso e redecorar o lugar. Quando chegou o momento de assinar o acordo, no entanto, a sra. Johnson deu para trás. Minha amiga não conseguia entender o porquê.

A sra. Johnson recusava-se totalmente a cooperar. Tornava-se agitada e chorosa e ameaçava suicidar-se quando o assunto era discutido. Finalmente descobriram que ela estava com receio de perder sua vida social, tal como era, se consentisse em se mudar. Não tinha carro e não poderia pagar táxis para ir até os bares que freqüentava no centro da cidade. Entretanto, ela não tinha sido capaz de falar

Outros transtornos com características depressivas 25

sobre esse receio e ficava cada vez mais deprimida. Sua depressão aparecia como agitação e foi interpretada como ansiedade. O pessoal da prefeitura julgava a mudança como uma teimosia da parte dela e se tornara ainda menos solidário em relação a ela, o que a fazia sentir-se ainda mais ameaçada, menos tratável e mais agitada.

No final, minha amiga encontrou um apartamento mais perto do centro, que não era tão bom embora mais conveniente. Assim, tudo terminou com um final feliz.

TRANSTORNO DE ESTRESSE PÓS-TRAUMÁTICO (TEPT)

Este transtorno não constitui doença depressiva, mas a pessoa pode parecer deprimida. Ocorre depois que alguém esteve exposto a uma situação que a maioria das pessoas acharia extremamente estressante. Ser vítima de um crime violento, estar envolvido em um acidente grave ou testemunhar a morte violenta de outros pode provocar esse tipo de reação. O transtorno geralmente se inicia num período de seis meses do trauma que o provocou.

Os sintomas incluem reviver o trauma na forma de sonhos ou "flashbacks". Além desses sintomas, tem-se insônia, deficiência de expressão emocional e uma tendência a evitar coisas que antes davam prazer — sintomas de episódios depressivos. Também podem ocorrer pensamentos de suicídio.

Outros traumas, aparentemente bem mais leves, também podem levar à depressão, embora nem sempre sejam caracterizados como TEPT.

Huni saiu da Malásia para trabalhar na Inglaterra, onde tinha seu pequeno supermercado. Ele se viu envolvido em um pequeno acidente: bateu na traseira do carro na sua frente. Como resultado, desenvolveu uma fobia a dirigir carros. Ainda conseguia dirigir, quando precisava, mas já não gostava e sempre ficava ansioso.

26   *Depressão*

No começo do tratamento, ele estava muito determinado a melhorar. Na terceira sessão, apesar de se esforçar (talvez demais) para fazer o que eu havia aconselhado, Huni estava ficando desanimado. Na quarta sessão, ele estava obviamente deprimido. Queixou-se de despertar de manhã, muito cedo e não ser capaz de voltar a dormir. Disse que, se começava a relaxar em casa, assistindo à televisão, caía no sono. Também disse que havia perdido o interesse em tentar melhorar, embora no fundo ainda desejasse.

Parecia que ele via seu fracasso em prevenir acidentes, e o fato de ter desenvolvido esse medo que atrapalhava seu gosto pela vida, como uma indicação de que já não conseguia ter controle sobre si mesmo. Com a passagem dos meses, sua perda de confiança em si mesmo levou-o a mergulhar na depressão. Nós examinaremos a relação muito próxima que existe entre a perda de confiança e a depressão no capítulo 3.

Huni tomou medicamentos antidepressivos que aliviaram sua depressão e o capacitaram a fazer o que precisava para vencer sua fobia.

DEPRESSÃO PÓS-PARTO

Como o nome indica, esta condição ocorre até seis semanas depois de a mulher ter dado à luz. Ela torna-se demasiado cansada, tem dificuldades para dormir, enche-se de desespero e de falta de confiança, perde sua auto-estima.

Muitas mães podem dizer que, com todos os problemas envolvidos na chegada de um bebê, é surpreendente que todas as mulheres sofram desses sintomas. Podem achar extremamente baixa a porcentagem — de 20 a 25% — de mães afetadas. No entanto, a depressão pós-parto não é considerada exatamente igual ao "baby blues", a sensação de tristeza e desânimo que afeta a maioria das mulheres logo depois de dar à luz, quando oscilam entre a euforia e o choro. O "baby blues" é considerado um resultado direto das mudanças hormonais envolvidas no processo do nascimento.

Como já passei por isso, acredito que a depressão pós-parto também pode ser provocada por fatores sociais. A princípio, a mãe está aliviada porque a parte penosa da experiência já passou e ela tem uma linda e nova carinha de bebê para conhecer. Todo mundo quer ver o bebê e ela sente orgulho em mostrá-lo. Então, a novidade acaba. O bebê deixa de ser especial, e a mãe tem de começar a fazer coisas tediosas de novo em vez de sentar-se na cama para ser adulada. Tem de atender às necessidades do bebê, assim como às dores e desconfortos que ainda sente pelo corpo. É de se admirar que a maioria das mulheres se sinta um pouco deprimida?

PSICOSE PUERPERAL

Esta é a forma de depressão mais grave associada com o parto. Acontece com uma mulher entre mil. Parece estar intimamente relacionada com o que causa o transtorno depressivo bipolar, já que sua incidência é expressivamente maior em mulheres que já passaram por uma depressão bipolar (uma em dez).

Os sintomas são parecidos com os que ocorrem nas formas graves de depressão bipolar. Os delírios, no entanto, tendem a se concentrar no bebê. A mãe acredita que ele tem deformações, é a encarnação do demônio ou coisas parecidas e, por causa de seus delírios, pode tentar fazer mal ou ao bebê ou a ela mesma, ou a ambos.

LUTO

A tristeza sentida na época de um luto não é considerada uma forma de doença depressiva, a menos que seja mais grave ou mais demorada do que se poderia esperar, dados

28 *Depressão*

os costumes sociais normais. Quando isso acontece, torna-se um transtorno de adaptação.

Outros exemplos deste tipo de transtorno são angústia e perturbação emocional relacionadas com fatos da vida — uma doença física séria, a perda do emprego ou da casa.

PATOLOGIAS DO CÉREBRO

Quando há um dano ao cérebro causado por um acidente ou por uma doença, podem ocorrer sintomas semelhantes aos encontrados nos transtornos depressivos. Sua natureza e gravidade obviamente dependem do local do cérebro em que se deu o dano. Muitas vezes é difícil afirmar se os sintomas indicam uma doença depressiva ou se são simplesmente o resultado do dano causado ao cérebro. Algumas vezes pode haver uma doença depressiva e também um dano cerebral, e é importante distinguir isso a fim de que a depressão possa ser tratada.

A doença de Alzheimer, que ocorre em pessoas mais velhas e nas quais o cérebro deteriora mais rápido do que o normal, consiste em um transtorno em que são comuns sintomas semelhantes aos identificados nos episódios depressivos.

Transtornos depressivos geralmente são descartados nos idosos porque muitos dos sintomas são considerados como próprios da idade e, por isso, sem tratamento. Muitos idosos têm dificuldades em dormir, perdem peso e apresentam problemas de concentração e memória. Muitos também sofrem de depressão causada pela perda de auto-estima (ver capítulo 8).

PERSONALIDADE DEPRESSIVA

Esta condição não é uma doença. Trata-se de um traço da personalidade. Um temperamento deprimido é um estado da personalidade. Então, qual é a diferença?

Outros transtornos com características depressivas 29

Um traço de personalidade é um aspecto da personalidade que permanece mais ou menos constante, não importam as circunstâncias. Pode ser chamado de temperamento. Se, por exemplo, se diz de uma pessoa que ela tem um "temperamento alegre", entendemos que isso quer dizer que ela reage alegremente à maioria das coisas, quase sempre. Pode ocasionalmente ficar triste, mas tem justificativas para isso. Assim, "alegre" seria um traço da personalidade dela.

Da mesma maneira, uma pessoa com um traço depressivo de personalidade tenderá a ver o lado negativo e para baixo de quase tudo, durante quase o tempo todo.

Por outro lado, um *estado* da personalidade diz respeito a uma disposição passageira. Se você de repente se sente feliz porque alguém lhe deu um presente surpresa, fica num estado de personalidade feliz. Isso não quer dizer necessariamente que você tem um temperamento alegre.

Se você está triste porque seu cachorro morreu, encontra-se em um estado depressivo. Assim, um estado depressivo é o que as pessoas têm quando passam por um transtorno depressivo. O ponto de vista depressivo não é uma característica permanente da sua personalidade.

Algumas pessoas com personalidade depressiva, porém, podem ter também doenças depressivas. Ainda é matéria de pesquisa saber se elas são mais suscetíveis a tais doenças do que as que têm um temperamento alegre. As pesquisas que sustentam a tese de que os pensamentos afetam o humor e podem mesmo mudar o equilíbrio químico interior parecem sugerir que esse tende a ser o caso.

CAPÍTULO 3

O que causa a depressão?

Ao considerarmos as causas de qualquer forma de depressão, há que se levar em conta três diferentes aspectos. Primeiro, quem é mais propenso a ficar deprimido (suscetibilidade). Segundo, o que pode provocar a depressão (o gatilho). Terceiro, o que mantém a pessoa deprimida (manutenção).

SUSCETIBILIDADE

Quem é mais propenso a ficar deprimido? Nem todo mundo que possui o mesmo estilo de vida e que passa por situações muito similares desenvolverá uma doença depressiva. As diferentes formas de depressão não têm necessariamente a mesma origem. Além disso, a causa pode ser diferente do motivo que mantém o distúrbio ativo. Existem alguns fatores, conhecidos na linguagem médica como fatores de predisposição, que tornam algumas pessoas mais predispostas do que outras a sofrer de certos tipos de depressão. Quais seriam eles?

Sexo

As estatísticas indicam que as mulheres são mais propensas a sofrer doenças depressivas do que os homens. Dois em três pacientes em hospitais com transtornos dessa natureza são do sexo feminino, e a maioria é casada. As proporções

32 *Depressão*

são iguais entre os que são tratados por médicos mas não estão em hospitais. Há indicações de que as mulheres nascidas a partir de meados dos anos 60 são um pouco menos propensas a ficarem deprimidas, embora isso ainda não tenha sido confirmado. Mas o que isso implica?

A maioria das mulheres está consciente de que suas próprias mudanças hormonais podem torná-las mais suscetíveis a mudanças de humor nos dias que antecedem seu ciclo menstrual, durante a gravidez, depois do parto e na menopausa. Em algumas mulheres, isso toma a forma de graus variáveis de irritabilidade, em outras, pode induzir à melancolia.

Se uma mulher já está sofrendo de uma doença depressiva, o transtorno pode ser aumentado por esses fatores hormonais, embora eles, sozinhos, não causem a depressão. No entanto, eles podem ser considerados um fator de predisposição. Uma mulher pode ser suscetível a uma doença depressiva, dados outros fatores necessários, por volta da época de suas mudanças hormonais.

A outra razão que torna as mulheres mais predispostas a sofrer de doenças depressivas do que os homens parece ser a maneira como a sociedade as trata, bem como as expectativas que se têm quanto a elas. O fato de as estatísticas de doenças depressivas tenderem a mudar com relação a gerações inteiras indica que são doenças fortemente influenciadas pelos comportamentos sociais.

Como já disse, os números recentes parecem indicar uma redução na suscetibilidade das mulheres à depressão. Isso pode refletir a mudança de seu papel na sociedade e a tendência geral que as leva a se envolverem mais em atividades fora de casa do que antes. Essa hipótese é apoiada por pesquisa[2] segundo a qual mulheres que não têm um trabalho parcial ou integral e estão envolvidas no cuidado de crianças são suscetíveis à depressão.

O que causa a depressão? 33

De acordo com essa pesquisa, mulheres que não trabalham fora de casa, ou que têm pouco tempo para si mesmas devido às exigências das crianças, tendem a perder seu sentido de identidade. Elas vêem a si mesmas como pessoas que estão ali apenas para servir às necessidades dos outros, levando à perda de auto-estima e de autoconfiança, o que, por sua vez, contribui para que tenham sentimentos de desvalorização, característica comum das doenças depressivas.

Tem-se sugerido também que as mulheres confiam mais nos colegas de trabalho do que os homens. Essa liberdade de confiar pode ser um alívio e ajuda a superar a formação de sentimentos negativos e tensões antes que tenham a chance de se transformar em sentimentos depressivos. Nem sempre as pessoas podem expressar certos tipos de sentimento para aqueles que as amam, por motivos que examinaremos com maiores detalhes no capítulo 8.

Evidentemente os homens também sofrem de doenças depressivas, e sua suscetibilidade pode ser igualmente explicada pelos fatores sociais. Uma razão possível, embora ainda não comprovada, para o aparente crescimento da proporção de homens que sofrem de depressão é que, à medida que o papel da mulher muda, os homens ficam menos seguros do próprio papel que desempenham. Antes, o homem era capaz de considerar a si mesmo o cabeça do lar e seu provedor principal; porém, a recente relutância da mulher em permanecer em casa como subordinada tem mudado essa situação. Os homens percebem que já não podem assumir a posição dominante simplesmente por terem nascido homens. Talvez essa insegurança os deixe mais suscetíveis à depressão.

Um amigo meu afirmou recentemente que acreditava que toda depressão masculina estava ligada a dificuldades sexuais. Com isso ele não queria dizer problemas com o

34   *Depressão*

ato sexual em si, e sim de relacionamentos íntimos do tipo que envolve sexo.

No começo, não aceitei essa idéia. Entretanto, refletindo depois e discutindo mais o assunto, tive de admitir que ele tinha certa razão. Explico isso com mais detalhes no capítulo 10.

Outros estudos mostram que o aumento da depressão em homens está intimamente ligado ao alcoolismo, ao consumo de drogas e ao suicídio. Se é a depressão que leva ao alcoolismo e às drogas, ou vice-versa, ainda não se tem certeza.

Hereditariedade

A depressão é uma doença de família? Algumas formas parecem ser herdadas, pelo menos parcialmente. A esse respeito, a suscetibilidade à depressão parece ser como outras características herdadas: algumas pessoas da família a herdam e outras não. Podemos concluir, portanto, que existe uma predisposição genética a certos tipos de depressão.

Parentes próximos de pacientes com depressão bipolar grave são mais propensos do que outros a sofrer de uma depressão unipolar ou bipolar. Segundo estudos realizados entre pessoas sem história de depressão bipolar ou unipolar na família, apenas uma em cem desenvolverá o tipo bipolar e três em cem desenvolverão o tipo unipolar. Por outro lado, entre as pessoas que têm um caso de depressão unipolar na família, uma em dez desenvolverá o transtorno. Se houver um caso de depressão bipolar na família, então uma em cinco desenvolverá o transtorno.

Estudos[3] comparando gêmeos idênticos (que têm os mesmo genes) com gêmeos não idênticos mostram que, entre os gêmeos idênticos, sessenta e sete em cem desenvolverão depressão bipolar grave se seu gêmeo tiver o transtorno. Faz pouca diferença se os gêmeos foram criados juntos no mesmo ambiente ou separados. Entre os gêmeos não idênticos, apenas vinte e três em cem desenvolverão o transtorno se seu gêmeo tiver a doença. Evidências como essas são bastante conclusivas. Uma suscetibilidade à depressão bipolar grave é geneticamente transmitida, mas ainda não sabemos quais genes estão envolvidos nessa transmissão. Isso não quer dizer, no entanto, que apenas por herdar uma suscetibilidade a pessoa necessariamente irá desenvolver a doença.

Idade

Além da ligação próxima entre a menopausa em mulheres e suscetibilidade à depressão, existem outros fatores relacionados com mudanças no estilo de vida que ocorrem à medida que a pessoa envelhece.

As pessoas mais velhas são particularmente suscetíveis à depressão, sobretudo se perdem sua auto-estima. Elas podem começar a se considerar inúteis — um peso para a sociedade e suas famílias. Os amigos íntimos podem morrer antes. A solidão e a perda de um sentido de vida tornam os idosos mais suscetíveis aos humores depressivos. Exatamente como isso pode levar a uma doença depressiva não está muito claro, mas discutiremos as possibilidades no capítulo 8.

Influências do meio

Descobriu-se que certos tipos de situação cotidiana estão intimamente ligados às doenças depressivas. Assim, por exemplo, alguns estudos[4] mostraram que pessoas que perdem a mãe antes dos onze anos e aqueles que não têm um relacionamento íntimo com alguém em quem possam confiar são mais suscetíveis à depressão.

36   *Depressão*

Já mencionei que as mulheres casadas formam o maior grupo de pessoas que sofrem de doenças depressivas. A princípio isso parece contradizer a descoberta de que a falta de uma relação íntima, de confiança, pode colocar uma pessoa em risco maior de ter depressão. Pois se isso é o que as mulheres casadas supostamente têm, então por que elas ficam mais deprimidas do que os outros grupos?

A resposta parece residir no tipo de relacionamento que o casal tem: um mau relacionamento é pior do que nenhum. Vimos que a baixa auto-estima é outro fator que torna a pessoa suscetível à depressão. Existe a hipótese de que mulheres com baixa auto-estima são mais propensas a se casar com homens inadequados porque têm medo de que ninguém mais vá querê-las. Assim, essas mulheres não só não têm relações íntimas e confiáveis, como o relacionamento ruim do casal, em conjunção com sua baixa auto-estima, as tornam muito vulneráveis às doenças depressivas.

Outro fator do meio que pode contribuir para a depressão são condições de vida inadequadas. No entanto, o que a pessoa *pensa* sobre seus problemas é o principal fator no desenvolvimento da maioria das formas de depressão.

GATILHOS

O que faz uma pessoa que é suscetível ultrapassar a barreira e desenvolver uma doença depressiva? Na maioria dos tipos de depressão, algum tipo de incidente estressante. Tal incidente pode não ser considerado estressante pelos outros, mas causa estresse à pessoa que está vulnerável. Alguns estudiosos consideram inclusive que mesmo episódios de depressão bipolar grave têm como gatilhos incidentes estressantes.

Alguns episódios depressivos parecem ter início por razões que não são óbvias, além do fato de que a pessoa pode ter tido um episódio semelhante no passado. Ela nem

O que causa a depressão?   37

sempre é capaz de dizer o que fez com que se sentisse deprimida pela primeira vez. Acredita-se que esses episódios podem ser causados por algum tipo de mudança biológica ou química do corpo do qual não se tem percepção.

O gatilho pode ser algum tipo de alimento, desequilíbrios causados por mudanças hormonais, ou mesmo mudanças na bioquímica da pessoa provocadas pelo que ela pensa e sente. Em alguns casos, parecem estar associados a acontecimentos estressantes, mas em outros não. Talvez o indivíduo tenha herdado em alguma parte de seu sistema corporal a incapacidade de sempre manter o balanço químico correto, um pouco como a produção defeituosa de insulina que apresenta o diabético.

O fato de depressões — como a psicose puerperal — algumas vezes estarem associadas com mudanças hormonais apóia o ponto de vista de que elas são devidas a um desequilíbrio corporal, porém ainda não sabemos como isso se dá.

Alguns pacientes dirão que sua doença teve início com acontecimentos ou mudanças em sua vida, geralmente envolvendo algum tipo de perda ou ameaça pessoal.

MANUTENÇÃO

Em quase todos os casos de formas de depressão graves, a reação da pessoa à depressão, bem como seus pensamentos sobre os incidentes causadores, constituem, na maioria das vezes, fatores importantes para manutenção do transtorno.

Portanto, o mais importante é conhecer os fatores que estão mantendo e aprofundando a depressão, e não o gatilho que a provocou. Esses fatores podem ser considerados sob dois blocos: traços de personalidade e influências das circunstâncias do meio.

Traços da personalidade

A tendência a ver o lado negativo das coisas pode ser um fator de manutenção em alguém que está sofrendo de qualquer grau de depressão unipolar. Se alguém sucumbe a uma doença depressiva e é portador de uma personalidade depressiva, como descrito no final do capítulo 2, terá grandes dificuldades para melhorar. Isso acontece porque os pensamentos parecem capazes de influenciar o equilíbrio químico no interior do corpo humano. Por conseguinte, pensamentos negativos podem ajudar a manter a depressão. Falaremos mais sobre isso nas páginas 40 e 41.

Influências do meio

Tais circunstâncias dizem respeito às situações que as pessoas encontram no trabalho, em casa, em seus relacionamentos. Se alguma dessas áreas está por algum motivo insatisfatória, as pessoas se sentirão ainda pior e será ainda mais difícil para elas pensar positivamente a fim de se ajudarem a melhorar. Falaremos mais sobre pensamento positivo no capítulo 9.

RELAÇÃO MENTE-CORPO

Este talvez seja o aspecto mais importante de toda doença psicológica, e possivelmente também física; no entanto, a maioria das pessoas o ignora. Com grande freqüência pensamos em nosso corpo e em nossa mente como entidades totalmente separadas. Infelizmente, a medicina tradicional tendia a perpetuar esse ponto de vista com sua obsessão em tratar apenas a parte doente da anatomia e dar a menor atenção possível ao que o doente de fato pensa ou sente sobre o que está lhe acontecendo.

O que causa a depressão? 39

Eu estava escutando um programa de rádio outro dia, no qual um médico lamentava o fato de já não existirem na Inglaterra as casas de convalescência. Nos anos 50 e antes, as pessoas que passavam por cirurgias importantes eram enviadas do hospital para essas casas, onde passavam algumas semanas se recuperando e ganhando forças.

Esse médico tinha passado, ele mesmo, por uma cirurgia importante recentemente. Objetivando eficiência e baixos custos, o hospital o liberou alguns dias depois da cirurgia para convalescer em sua casa, sendo-lhe recomendado que fosse devagar com as coisas. Ele descobriu, para seu desgosto, que, embora tentasse relaxar em casa, era impossível. Havia interrupções constantes, e as pessoas tentavam envolvê-lo em aspectos de sua vida cotidiana num momento em que ele não deveria, realmente, ser incomodado. Outros membros da família batiam portas e escutavam músicas em alto volume, e ele sentia que não tinha energia suficiente para pôr um fim naquilo.

No final, ele acabou voltando ao trabalho com o corpo curado, mas sentindo-se tenso e estressado e mais consciente do que antes de que é preciso prestar atenção às necessidades emocionais no tratamento das doenças físicas.

Geralmente aceitamos que nossas emoções e comportamento podem ser afetados se existir algum tipo de mudança química dentro de nosso corpo. Contudo, devemos começar a reconhecer que o que pensamos, as expressões do nosso rosto, e talvez até o modo como nos movemos, podem realmente mudar as químicas que são liberadas dentro de nós, e em especial em nosso cérebro, onde nossas emoções são controladas.

Em seu livro *Mega Brain Power*[5] (Mega Poder do Cérebro), Michael Hutchison sugere o exercício descrito a seguir. Primeiro, observe como está se sentindo neste momento. Depois, mantenha o lado esquerdo de sua face tão imóvel quanto possível e ria o máximo que puder apenas com o

40   *Depressão*

lado direito. Ao rir, use todos os músculos do lado direito: os da bochecha, dos lábios e do olho. Passados alguns minutos, pare e verifique se seu humor não melhorou um pouco.

Ao trabalhar com os músculos do lado direito de sua face, você provoca emoções positivas, como a alegria e a despreocupação. Se tivesse trabalhado com os músculos do lado esquerdo da face, seria mais provável que experimentasse emoções negativas — como a tristeza.

Isso parece se dever às funções dos dois lados (hemisférios) do cérebro.

O cérebro, como o corpo, possui dois lados. Eles se parecem, mas cada um é responsável por funções determinadas. Por exemplo, o lado esquerdo do cérebro controla o lado direito do corpo, e vice-versa. Portanto, ao exercitar os músculos do lado direito de sua face, você está trabalhando o lado esquerdo de seu cérebro.

Vários pesquisadores compararam as ondas cerebrais de determinados pacientes, registradas através de eletroencefalograma (EEG), com suas personalidades. Descobriram que os que tinham grande atividade elétrica nas áreas frontais à esquerda do cérebro tendiam a ser alegres. Por outro lado, os que tinham atividade mais intensa nas áreas frontais à direita tendiam a ser mais tristes e a ver o mundo mais negativamente.

Devemos entender que nossa mente e nosso corpo trabalham juntos, e um afeta o outro. A experiência de trabalhar os músculos de um lado de sua face e sentir os efeitos em suas emoções deveria convencê-lo. Entretanto, se você ainda não se convenceu, lembre-se da última vez em que teve medo de alguma coisa. Seu coração bateu mais rápido, sua boca ficou seca, as palmas da mão ficaram úmidas, o foco de sua atenção se concentrou apenas naquilo de que tinha medo? Todas essas reações físicas aconteceram apenas porque você pensou em "medo". Se estivesse dormindo no momento em que entrou em contato com

O que causa a depressão? 41

aquilo que fez você sentir medo, seja lá o que for, não teria apresentado nenhum desses sintomas.

O que você pensa é o que em geral funciona como gatilho para suas emoções. Infelizmente, quase nunca pensamos "sou feliz", a menos que as circunstâncias sejam tão maravilhosas que não possamos ignorá-las. Se pelo menos aprendêssemos a ver o lado positivo e bom de nossas vidas com mais freqüência!

Atualmente estão sendo realizadas inúmeras pesquisas acerca dos efeitos de nossos pensamentos no cérebro e das químicas produzidas. É bastante provável que, na segunda década do século XXI, consideremos pré-histórico o fato de tratarmos, hoje, nossa mente e nosso corpo como entidades separadas. O pensamento atual, no entanto, é que a doença depressiva tem como gatilho algum tipo de desequilíbrio do corpo, e que o transtorno não melhorará até esse desequilíbrio ser corrigido. Geralmente se consegue essa melhora com medicamentos antidepressivos.

SEUS PENSAMENTOS

O último — e possivelmente o mais influente — fator da doença depressiva é o que o indivíduo pensa acerca do que está lhe acontecendo. As pessoas com personalidade depressiva, como descrito no final do capítulo 2, sentem mais dificuldade de vencer a depressão por causa de seu hábito de pensar negativamente e de ver sempre o lado negro das coisas. Isso tende a criar nelas aquela química que leva à depressão.

Já mencionei que a baixa auto-estima pode nos tornar suscetíveis à depressão. Mas o que é baixa auto-estima? Resumidamente, é o sentimento que uma pessoa tem de que não merece nada, de que não é tão importante quanto os outros. Aquelas pessoas que sempre foram levadas a colocar os outros na frente em geral têm baixa auto-estima.

42   *Depressão*

Uma pessoa com baixa auto-estima tende a pensar que seus desejos e sentimentos são menos importantes do que os das pessoas ao seu redor. Por várias razões, elas perderam a habilidade de se colocar em primeiro lugar, se é que a tiveram um dia. Não têm idéia de como se sentiriam ou agiriam se pudessem fazer o que bem quisessem, porque suas vidas foram quase totalmente traçadas para atender às necessidades dos outros.

Mães de crianças pequenas, bem como pessoas que cuidam de idosos e deficientes, são muitas vezes vítimas da baixa auto-estima. Muito freqüentemente elas nem se dão conta de que estão servindo quase de capachos. Os problemas surgem quando elas se vêem obrigadas a optar entre o que de repente descobrem que realmente desejam e o seu "dever". Sentem-se culpadas ao descobrir que têm necessidades que só podem ser atendidas com algum custo para aqueles de quem estão cuidando.

Nesses momentos, tornam-se conscientes de que, em decorrência do hábito de colocar os outros sempre em primeiro lugar, elas perderam a identidade sem que se dessem conta. Agora, sentem-se sem importância, menosprezadas. Quando tentam falar com os mais íntimos, seus sentimentos e protestos são desconsiderados. Um marido disse à sua mulher, que passara todo o dia em casa cuidando das crianças, que ela não tinha do que reclamar pois a única coisa que fazia era ficar ao telefone com as amigas! Eis o terreno fértil para a depressão.

Como não têm o hábito de ter suas próprias necessidades consideradas, quando ficam deprimidas tendem a aceitar isso como o que pessoas sem valor como elas merecem, e tornam-se impotentes, sem condições de se ajudar. Essa é a espiral depressiva viciosa que precisa ser rompida. Até que seja, quem a sofre está numa prisão emocional. É a prisão mais difícil de todas — mas não é impossível dela se libertar.

CAPÍTULO 4

O corpo e a depressão

Vamos examinar a seguir alguns mecanismos do corpo e verificar de que maneira eles podem um dia se envolver em transtornos depressivos. Algumas evidências ainda são muito tênues, mas não raro é a partir do que parece inicialmente estranho que se desenvolvem as pesquisas mais produtivas.

HORMÔNIOS

Este parece ser o ponto de partida óbvio, considerando-se o fato de que as mulheres são mais suscetíveis à depressão do que os homens e que a maioria das mulheres sabe que tende a se sentir mais deprimida justamente antes do seu período menstrual. Já vimos no capítulo 2 que existe uma forma particular de depressão grave que acontece depois do parto — a psicose puerperal. Também sabemos que o humor instável que a maioria das mulheres apresenta imediatamente após dar à luz — o "baby blues" — é provocado pelas mudanças hormonais, assim como a outra forma de transtorno depressivo que ocorre nesse período, a depressão pós-parto.

O fato de esses transtornos depressivos estarem intimamente ligados às mudanças hormonais não explica a grande maioria das depressões, mas em que proporção tais mudanças desempenham um papel importante? A mudança hormonal é um gatilho para algo ocorrer, algo que então causa a depressão nas pessoas vulneráveis?

44 *Depressão*

Doenças mentais de qualquer tipo, como vimos no contexto da SFC (*ver* página 21), são consideradas um tipo de fraqueza, alguma coisa que a pessoa não deveria ter deixado se desenvolver. Já a doença física, por outro lado, como se acredita ser algo de que a pessoa não tem culpa, é aceitável, embora triste. Mas isso está mudando.

No passado, como a sociedade esperava que os homens não "chorassem" nem "fizessem escândalo", parece que eles tendiam a tentar desprezar os problemas emocionais. Com o "novo homem" e nosso conhecimento de que eles também têm sentimentos, os homens estão começando a ousar admitir mais seus problemas emocionais. Portanto, o fato de as estatísticas sempre mostrarem mulheres sofrendo mais que os homens dos vários tipos de transtornos de ansiedade e depressão pode significar não que as mulheres sejam as que mais sofrem com isso, mas que elas estão mais propensas a admitir que têm, sim, esses problemas.

Recentemente o marido de uma de minhas pacientes me disse que, em sua opinião, os homens talvez tenham os mesmos problemas hormonais que as mulheres têm. Ele contou que, no final de sua adolescência, ele e três amigos passaram por episódios depressivos, sem nenhum motivo aparente. Na época, eles se apoiaram reciprocamente porque achavam que não era masculino procurar ajuda e, depois de vários meses, conseguiram melhorar.

Quando os efeitos do ciclo menstrual normal das mulheres foram estudados de perto, não se constatou uma relação direta com a depressão. Em outras palavras, um não leva ao outro. Por outro lado, os dois tendem a aparecer juntos algumas vezes. É possível, portanto, que as mudanças hormonais tornem a mulher suscetível aos sentimentos de depressão, embora não os causem.

Acredita-se que existe uma ligação direta entre a depressão bipolar grave, com sintomas psicóticos, e as mudanças hormonais — como na psicose puerperal. No entanto, não existe evidência de que as outras formas de depressão sejam diretamente causadas pelas mudanças hormonais.

Algumas doenças com relação às quais sabemos que existe um problema de controle hormonal correto, como os distúrbios da tiróide, também tendem a apresentar sintomas de depressão. Portanto, parece que o equilíbrio incorreto da função hormonal está relacionado com a depressão; porém, se pode realmente causar depressão, trata-se de outra questão.

NEUROTRANSMISSORES

Para funcionar, todo o nosso sistema depende de mensagens que são transmitidas do cérebro para as várias partes do corpo, e outra vez de volta. Se quiser mexer seu dedinho do pé, uma mensagem de intenção tem que ser enviada do seu cérebro para dizer a seu dedinho que se mexa. Há também outras transmissões que dizem a você que ele está se mexendo e como está se mexendo. Se vê algo que faz com que fique triste, mensagens retransmitem o que você vê com seus olhos para o seu cérebro; este dá um sentido ao que vê, decide o que vê, decide o que pensar e então dá as instruções apropriadas de como você deve se sentir.

Com relação a transtornos como a depressão, discute-se se é o cérebro que diz a você para ficar triste ou se é alguma coisa em seu corpo que diz a seu cérebro que ele deve sentir-se triste. Em outras palavras, o gatilho para o transtorno vai de seus pensamentos para seu corpo ou vice-versa?

Tem sido amplamente discutido que, ao tratar transtornos como a depressão com remédios, está se supondo que o gatilho está indo *do* corpo *para* os pensamentos. Os que dizem que estão deprimidos em razão do que estão pensando tendem a procurar a solução na mudança dos pensamentos, com terapia verbal por exemplo, e então esperam

46 *Depressão*

que seus sentimentos físicos mudem em conseqüência dessa atitude.

Na verdade, parece não ser estritamente nem um caso nem o outro. Tudo indica que embora as mudanças físicas possam afetar seus pensamentos, seus pensamentos também podem provocar mudanças no seu corpo. A velha idéia de que uma boa risada faz bem não é tão ridícula. Lembra-se da experiência em que você movimentava um lado de sua face e sentia uma ligeira mudança de humor para pior ou para melhor, conforme o lado? É o mesmo princípio — se você ri, a risada e os músculos envolvidos podem enviar mensagens boas para seu cérebro, que então pode ajustar seu corpo para melhor.

Infelizmente não sabemos como ou por que isso acontece; por essa razão, ainda não podemos receitar ao paciente assistir a um bom vídeo cômico para melhorar a gripe — embora curtir uma boa comédia, se a pessoa gosta, possa ajudar. Existem velhos ditos: "O que é de gosto regala o peito", "Um pouco do que você gosta vai lhe fazer bem". No passado, as pessoas muitas vezes não sabiam como nem por que seus remédios funcionavam, mas freqüentemente estavam mais certas do que estamos hoje, em que pesem todos os avanços científicos.

Os neurotransmissores são substâncias químicas que ajudam a enviar as mensagens do e para o cérebro. Descreverei brevemente como eles funcionam; se você quiser mais detalhes, sugiro a leitura de um texto de biologia. O que acontece é que os impulsos elétricos que carregam as mensagens são transmitidos através do corpo pelos nervos, de uma célula nervosa para a outra. Essas células são chamadas neurônios. Entre um neurônio e o próximo, no entanto, há uma brecha chamada sinapse. O impulso tem que pular essa brecha para continuar. Ao alcançá-la, os neurotransmissores são liberados, permitindo assim que a mensagem atravesse a brecha e continue seu caminho.

O corpo e a depressão   47

É um pouco como a eletricidade sendo conduzida através de uma brecha pela água. A água transporta bem a eletricidade e, se duas coisas estiverem conectadas por um pouco de umidade, a corrente elétrica passará mais facilmente entre elas. As neuroquímicas são como a água: tornam possível que o impulso contendo a mensagem atravesse a brecha. Também deve haver outra neuroquímica do outro lado da brecha, chamada de receptor, para receber a mensagem.

Depois que a neuroquímica fez seu trabalho, ela tem de ser reabsorvida pelo corpo. É por essa razão que o exercício é benéfico para as pessoas ansiosas. As mensagens de ansiedade estimulam uma química particular para que possam atravessar as brechas. O exercício livra o corpo dessas químicas neurotransmissoras, ajudando a controlar a ansiedade. Também se descobriu que exercícios são úteis na depressão — ver mais sobre isso no capítulo 9.

Se neurotransmissores errados estão sendo produzidos para servir de ponte entre essas brechas, ou são recebidos por receptores incompatíveis, então o corpo funciona de maneira deficiente em algum aspecto, resultando em doença. É essa a teoria que está por trás da crença de que muitas doenças psíquicas, especialmente a depressão, se devem a um defeito dessa natureza. Depois que o desequilíbrio for identificado, então medidas para corrigi-lo poderão ser tomadas, e o problema será curado.

Muitos dos antidepressivos que vêm sendo usados há vários anos são preparados com substâncias formuladas visando corrigir os desequilíbrios em cuja existência se acredita. O fato de que eles às vezes funcionam e às vezes não indica que o desequilíbrio deve ser tratado com o remédio adequado para aquela pessoa. Mais ainda, sendo um transtorno tão intimamente ligado aos pensamentos e sentimentos, é possível que outros fatores na vida do paciente estejam perpetuando o desequilíbrio, apesar de todas as tentativas de reequilibrá-lo com os medicamentos.

48　*Depressão*

Será necessário descobrir e corrigir também esses outros fatores. No capítulo 7 explicamos como isso é feito hoje em dia. Os métodos de tratamento são muito melhores do que eram, e estão se aprimorando cada vez mais.

RITMOS CIRCADIANOS

Os ritmos circadianos são os ciclos em torno dos quais vivemos dia após dia: levantar, comer, trabalhar, divertir-se, depois ir dormir outra vez. Todo o nosso sistema físico está adaptado a esse ritmo, de modo que, quando estamos bem e vivendo normalmente, sentimos fome, cansaço etc., no momento apropriado.

Experiências nas quais as pessoas foram isoladas de qualquer possibilidade de saber as horas mostraram que o ritmo delas, ainda assim, seguia mais ou menos o padrão usual[6]. Acredita-se que a luz e a escuridão desempenham um papel na manutenção do ritmo. Sugeriu-se que as pessoas que sofrem de TAS têm um atraso no ritmo circadiano e que a luz extra na forma de férias em lugar ensolarado ou luzes artificiais especiais adiantam o ritmo e fazem com que ele volte ao normal. Por que ele atrasa, não se tem conhecimento.

Uma das etapas do sono é o REM, abreviatura para *rapid eye movement* (movimento rápido dos olhos). Pode ser facilmente percebida por alguém que observa uma pessoa dormindo porque seus olhos se movem rapidamente sob as pálpebras; é o estágio do sono em que os sonhos acontecem. Normalmente, quando adormecemos, passamos algum tempo em sono leve, depois entramos no sono REM, e depois em sono profundo. Quando saímos desse sono profundo, outra vez passamos pelo sono REM. Esse ciclo se repete cerca de quatro vezes por noite, e o sono REM acontece mais ou menos a cada hora e meia. Se as pessoas não conseguem passar por essas etapas do sono REM, desen-

O corpo e a depressão 49

volvem alucinações: vêem e algumas vezes escutam coisas que não existem. Tudo indica que de fato precisamos do nosso sono REM e de nossos sonhos, quer nos lembremos deles ou não.

Descobriu-se que o sono REM ocorre com freqüência maior na depressão. Também se descobriu, no entanto, que, se os pacientes deprimidos são privados do sono, eles podem melhorar, mas têm uma recaída depois de dormir. Têm-se resultados melhores quando os pacientes são privados do sono da segunda parte da noite. Isso não surpreende visto que, se tentar seguir a rotina, a pessoa deprimida tende, de qualquer maneira, a despertar de madrugada, sendo incapaz de pegar no sono outra vez. Chegou-se à conclusão de que a depressão melhora se o período de sono for adiantado em cerca de seis horas mais ou menos. Assim, se normalmente a pessoa vai para a cama às dez da noite, passaria a dormir às quatro da tarde e levantaria à uma da madrugada em vez de às sete da manhã.

Na depressão, alguns ritmos circadianos parecem ficar fora do passo, especialmente o ciclo do sono, que tende a terminar mais cedo do que o normal, como vimos. Alguns pesquisadores argumentam que a chave para as causas da depressão estão na alteração desses ritmos[7]. Segundo eles, defeitos nos neurotransmissores não podem dar conta de todos os sintomas, embora um defeito no "relógio do corpo" possa. Mais ainda, os antidepressivos agem de fato sobre os ritmos circadianos a fim de levantar os sintomas depressivos.

Qualquer um que teve seu "relógio do corpo" seriamente alterado sabe o quanto isso pode afetar a maneira como se sente. *Jet lag* (cansaço provocado pela diferença de fuso horário) é um desses problemas. Acredita-se que isso se deva ao transtorno dos padrões de sono. Parece ser pior quando se viaja do leste para o oeste. É mais provável que, ao voar do leste para o oeste, você fique deprimido se

50   *Depressão*

tiver propensão, ao passo que ao voar do oeste para o leste, é mais provável que sinta euforia. Assim, ao viajar para o leste, é mais provável que se sinta feliz ao chegar lá e mais deprimido ao voltar. Essas mudanças de humor, contudo, provavelmente não serão perceptíveis para a maioria das pessoas, que em geral se sentem exaustas depois de passarem horas sentadas com os joelhos no peito nas minúsculas poltronas de um avião!

ONDAS CEREBRAIS

Estudos de mudanças nas atividades EEG em diferentes partes do cérebro de pessoas deprimidas mostraram algumas descobertas interessantes.

Por meio do EEG registra-se a atividade cerebral. Eletrodos são colocados em determinados pontos na cabeça do paciente, que deve relaxar, olhar uma luz piscando ou fechar os olhos. Os eletrodos registram as ondas cerebrais em diferentes partes do cérebro e são completamente indolores.

Como já vimos, nosso cérebro tem dois lados, conhecidos como hemisférios. Na maioria das pessoas, o hemisfério esquerdo é considerado o dominante. Esse lado do cérebro é responsável pelo pensamento lógico, pela realização de cálculos mentais, por colocar as coisas em ordem. É também o lado através do qual pensamos em termos de palavras. O hemisfério direito, considerado o não dominante na maioria das pessoas, é responsável pelas imagens, pela criatividade e o lado mais artístico da vida.

Há provas suficientes de que as pessoas que sofrem de depressão maníaca — isto é, depressão bipolar recorrente grave — são freqüentemente muito criativas; um exemplo famoso foi o compositor Robert Schumann.

Portanto, qual parte do cérebro está envolvida? Os exercícios que esboçamos anteriormente, que envolvem a contorção de um dos lados da face, produzem sentimentos mais tristes quando usamos o lado esquerdo. Esse lado é controlado pelo hemisfério direito do cérebro, o qual está associado com a criatividade. Também a criatividade está vagamente associada à depressão bipolar.

Vários estudos concluíram que pessoas com altos níveis de atividade nas regiões frontais do hemisfério esquerdo vêem as coisas mais alegre e positivamente. São pessoas mais autoconfiantes, expansivas e felizes. Aqueles cujos testes EEG mostram mais atividade nas áreas frontais do hemisfério direito têm uma perspectiva mais negativa. Tendem a ver o lado ruim das coisas e se culpam mais.

Parece que o melhor é ter quantidades iguais de atividade em cada hemisfério — ao que se chama de simetria cerebral. Outro estudo[8] descobriu que pessoas que haviam sido diagnosticadas como deprimidas tinham menos atividade na fronte esquerda do que as pessoas que não estavam nesse estado. Em outras palavras, não é apenas desenvolver mais atividade do que o normal no lado direito que torna alguém propenso a ter depressão, mas também menos atividade do que o normal no lado esquerdo, desequilibrando assim ambos os lados.

A importância dessas descobertas para futuros métodos de tratamentos será discutida adiante. Parece, no entanto, que esse desequilíbrio na atividade cerebral pode ser herdada, pois seus efeitos foram encontrados em bebês.

O SISTEMA IMUNOLÓGICO

O sistema imunológico — ao qual o corpo recorre para se defender contra invasões por infecção ou qualquer outra coisa que não pertence a ele — é uma parte do nosso corpo cujo funcionamento, descobriu-se, é controlado por nossos pensamentos. Ele pode ser afetado pela hipnose, pela meditação e pela maneira como a pessoa encara a vida. Na depressão,

52 *Depressão*

o sistema imunológico não funciona tão bem como seria de se esperar. Experiências com grupos de pessoas que estavam estressadas mostraram que elas tinham habilidade reduzida de repelir corpos estranhos ao seu sistema e de lutar contra a infecção.

Em resumo, acredita-se que, se adotarmos uma abordagem positiva da vida e olharmos para o lado bom, ajudaremos nosso sistema imunológico a enfrentar os inimigos e estaremos menos propensos a sermos vítimas de todos os tipos de infecção, de vírus a câncer. Todo mundo já ouviu falar de pessoas que venceram o câncer. Uma amiga de minha mãe foi diagnosticada com câncer em 1947, com um prognóstico de vida de não mais que um ano. Porém, ela decidiu que não tinha tempo para o câncer e, mesmo sem tratamento, viveu até 1983.

Por outro lado, se a pessoa quer morrer ou acredita que a morte é inevitável, então o sistema imunológico se enfraquecerá e ela morrerá. Antropólogos de tribos na África citam exemplos de feiticeiros tribais que dizem a um homem saudável que a morte dele é certa, freqüentemente em razão de alguma má conduta. Em poucas semanas, esse homem perfeitamente são e capaz estará morto porque acreditou que estaria!

Existem também muitos exemplos de casais idosos em que um dos parceiros morre e o sobrevivente simplesmente perde a vontade de continuar vivendo sozinho. Alguns meses depois da primeira morte, o parceiro sobrevivente sucumbe a uma infecção viral, como pneumonia, e também morre.

CAPÍTULO 5

Como é se sentir deprimido?

A tristeza é desagradável, mas não é tão ruim quanto a depressão. Quando as pessoas estão tristes, elas mantêm o auto-respeito, sentem-se melhor depois de chorar, confiam nos outros — isso ajuda. Quando estão deprimidas, o auto-respeito desaparece, chorar não adianta nada — se é que conseguem chorar — e se sentem alienadas porque as outras pessoas parecem não entender como elas se sentem e elas não têm a energia nem a vontade de se explicar.

Ficar deprimido é sentir-se cair em um grande buraco negro que não leva a lugar algum. Quando a depressão chega devagar, sem razão óbvia, esse sentimento pode ser tão vagaroso que a pessoa tem a sensação de vê-lo acontecer. A pessoa se vê chegando mais e mais perto do buraco negro. Como uma aranha na banheira sendo arrastada pela água para o buraco do esgoto, ela sente seu mundo rodopiando cada vez mais fora do seu controle. Ele rodopia mais e mais rápido à medida que se aproxima do buraco.

Então, de repente, a pessoa está caindo no buraco e nada mais parece ser o que era antes. Ela realmente sente como se alguém tivesse virado o mundo de cabeça para baixo. As coisas parecem não ser o que eram antes, nem ela sente em relação a elas o que sentia antes.

O deprimido luta um pouco porque não pode acreditar que isso esteja realmente acontecendo. Tenta entender as coisas, encontrar algum jeito de sair dali, de subir contra a

54   *Depressão*

corrente, como a aranha, e voltar à banheira. Algumas vezes, como a aranha, ele consegue. Mas então alguma coisa acontece e o arrasta para o buraco outra vez.

Algumas pessoas subirão aquele cano contra a corrente várias vezes. Algumas conseguem escapar assim que voltam à banheira — encontram alguma resposta e saem da depressão. Outras, no entanto, continuarão sendo arrastadas. A pior parte é que, cada vez que conseguem voltar à banheira, sentem um pedacinho de esperança surgir em suas mentes, a esperança de que talvez dessa vez ficarão curadas. Então, são arrastadas de novo, a esperança decai um pouco, até que finalmente desaparece completamente e se recusa a crescer outra vez. Esse estado de falta de esperança é o pior de todos.

A habilidade da pessoa de escapar desse estado varia muito. As pessoas deprimidas freqüentemente já tiveram que escapar muito mais vezes do que a maioria. Então, de repente, elas já não conseguem mais. É como uma bebedeira que alguém tem quando jovem; no final, ele tende a se lembrar das ressacas *antes* de beber, pensa duas vezes.

Uma paciente descreveu para mim como se sentia quando estava com uma depressão muito grave:

As coisas de que você antes gostava, você já não as tolera mais. Se antes se orgulhava de sua casa, acha que deveria se preocupar em pelo menos tirar o pó das coisas — mas você não se importa. Não adianta tentar se persuadir de que importa — você simplesmente não se importa mais com nada.

Você gostaria de se matar e acabar com tudo, mas as pessoas de quem gosta não deixam. Você quase deseja uma doença terminal para poder desistir de tudo e escapar sem sentimentos de culpa do sofrimento que causa às pessoas que ama.

Acima de tudo, você está cansada e letárgica. Vai para cama cedo porque está chateada. Acorda cedo mas não tem desejo de fazer nada no dia à sua frente. O dia não promete nada, não há nada que você queira fazer.

Como é se sentir deprimido?   55

Você fará qualquer coisa para evitar os sentimentos. Está tão exaurida — desesperada, impotente, só. Não quer se importar com nada porque se importar é ter sentimentos. Se sentir, sofrerá. Portanto, você fica feliz em abandonar tudo de bom que a vida possa ter.

As pessoas que nunca passaram por um episódio de depressão clínica não podem imaginar o total entorpecimento dos sentidos, nem a completa ausência de desejo em se envolver com qualquer coisa agradável. Achamos que somos capazes de imaginar, mas só as pessoas que realmente ficaram deprimidas têm consciência do que isso vem a ser.

Esse texto foi escrito alguns anos atrás por Jane, uma mulher casada de 52 anos. Ela tinha criado três crianças, duas do casamento anterior do marido e uma sua. Trabalhara como gerente de pessoal antes de se casar. Permaneceu empregada algum tempo depois do casamento, mas quando teve a filha achou muito cansativo dar conta de tudo. Seu esposo tinha um emprego muito bom e como eles não precisavam de dinheiro, Jane desistiu de sua carreira.

Os anos passaram e Jane se sentia bem. Ela participava das atividades locais, fez cursos noturnos de línguas modernas e de modo geral estava feliz. Então, de repente, descobriu que todos seus filhos tinham deixado a casa e havia um espaço vazio em sua vida. Ela me deu um exemplo de como é possível não querer inclusive o que antes era objeto de adoração.

Jane descreveu uma bela cena da adaptação para a tevê do livro de Colleen McCullough, *Pássaros Feridos*, em que Meggie, depois de um casamento desastroso e de recentemente ter dado à luz uma filha, está exausta e aparentemente deprimida. Seus patrões, muito gentis, enviaram-na para uma ilha a fim de se recuperar em uma casa de veraneio.

Meggie estivera apaixonada quase toda a sua vida por Ralph, um padre católico. Ralph ficou encarregado da herança de Meggie porque ela era uma criança na época em que a recebeu. Ele a viu crescer e também a amava, porém não queria quebrar seus votos de celibato. Assim, havia inúmeras cenas em que os dois desejavam ardentemente um ao outro, mas nada acontecia.

Então, quando Meggie está só na ilha, na sua maré emocional mais baixa, andando à beira do mar, repentinamente, melhor do que em seus sonhos mais desvairados, Ralph aparece.

Como alguém reagiria nessas circunstâncias? A maioria das pessoas, acredito, agarraria sua chance de felicidade. Mas Meggie não. Ela parece angustiada, grita algo parecido com "Não, não outra vez!" e foge dele — deixando o espectador frustrado e sem compreender nada. Isso é o que a depressão faz.

Como Jane observou, na depressão a pessoa atinge um ponto no qual, embora tenha perdido toda a esperança, estranhamente se sente aliviada. De repente, todos os tormentos e angústias cessam porque a pessoa perde tanto o desejo como a habilidade de procurar prazer. Nesse estado, como Meggie, tem-se medo do prazer, pois assim começará a ter sentimentos de novo.

O CÍRCULO VICIOSO

Como vimos no capítulo 4, estamos começando a identificar os marcadores biológicos dos transtornos depressivos, mas ainda não sabemos por que eles acontecem. São os pensamentos tristes que fazem o corpo se desequilibrar de algum modo, ou o desequilíbrio vem primeiro e provoca os pensamentos tristes? Essa ainda é uma grande questão.

Seja qual for a resposta, como os antidepressivos realmente funcionam para melhorar o estado de depressão, parece que corrigir o desequilíbrio do corpo pode levar a pessoa a ter pensamentos positivos de novo. Mas, será

Como é se sentir deprimido? 57

que os antidepressivos tão-somente mascaram os pensamentos afugentando o problema, só para que ele apareça depois? Se a causa do problema for algum acontecimento na vida da pessoa, então é provável que isso aconteça. Contudo, como é possível mudar o pensamento de alguém que caiu na desesperança e que já não se importa com nada?

Esse é o dilema do tratamento da depressão. Seja o que for que funcione como gatilho, acontece um efeito dominó: pensamentos negativos levam a mudanças físicas que inclinam o deprimido a ter mais pensamentos negativos, que por sua vez levam a mais mudanças físicas. Esse é o círculo vicioso que tem de ser rompido para que a depressão melhore.

Tentar argumentar ou conversar com uma pessoa deprimida que atingiu a desesperança é como digitar no teclado do computador com a tela desligada. Nenhuma tecla tem algum efeito na tela ou na máquina, além talvez do ruído ocasional que parece estar dizendo "Deixe-me em paz!"

IMPOTÊNCIA E DESESPERANÇA

Por que chegamos a nos sentir impotentes? Isso acontece quando nosso comportamento em resposta a alguma coisa desagradável não tem nenhum efeito. Vejamos o exemplo de um motorista bom e cuidadoso. Essa pessoa dirige com competência, nem irresponsavelmente rápido nem devagar demais. Ela não dirige depois de beber, mantém uma distância adequada dos outros carros, em especial quando está chovendo, e respeita o sinal fechado.

Então, subitamente um dia, ao dirigir em uma rodovia, o pneu de um caminhão estoura, fazendo com que o caminhoneiro dê uma guinada para o lado. Nosso motorista vê a coisa acontecendo e consegue parar a tempo, evitando bater no caminhão que entra na sua frente. Mas o carro que vem atrás não consegue.

58   *Depressão*

Após um acidente como esse, nosso motorista começa a evitar rodovias, sente-se ansioso ao dirigir, dirige muito mais devagar do que antes, observa obsessivamente todos os carros ao seu lado na tentativa de adivinhar o que vai acontecer em seguida. Esse motorista viveu uma "impotência aprendida" em relação à direção — a compreensão de que não importa o que você faça, por mais cuidadoso que seja, nunca é possível evitar conseqüências desagradáveis.

Quando isso acontece em traumas graves, geralmente ocorre o transtorno que se conhece como Transtorno de Estresse Pós-Traumático (TEPT) (veja o capítulo 2). A pessoa perde a confiança nela mesma porque sente que sua incapacidade de fazer alguma coisa se reflete também em suas outras habilidades. A depressão é um sintoma característico do TEPT.

Quando a pessoa vê repetidamente no seu dia-a-dia que ser boa, honesta, cuidadosa, gentil e trabalhadora não traz os resultados que esperava — ser amada, bem-sucedida, feliz etc. —, começa a perder confiança em si mesma. Começa a acreditar que comportar-se da maneira com a qual foi criada não evita problemas. Sente-se impotente porque seu método se provou ineficaz, e ela não sabe o que fazer para conseguir os resultados que deseja. Assim, acaba desistindo e se sente impotente, não faz mais nada, cai na depressão.

O sentimento de impotência em geral aparece quando a vida falha repetidamente em corresponder às nossas expectativas, ou quando falhamos em controlar como gostaríamos nossas circunstâncias de vida. Uma conseqüência desse sentimento é que, dentro do corpo, aquela parte do sistema imunológico que normalmente combate as doenças e reconstrói nossos tecidos se torna menos eficaz. Em outras palavras, o sentimento de impotência pode tornar a pessoa mais vulnerável a doenças físicas.

Como é se sentir deprimido? 59

No trabalho, tal sentimento também pode levar a pessoa a um estado de ansiedade ou de depressão. Uma situação típica ocorre quando se diz a uma pessoa que ela tem o poder de tomar determinadas decisões, mas logo ela descobre que, depois de ter trabalhado duro e tomado as decisões cabíveis, alguém de cima as ignora e implementa coisas totalmente diferentes. Isso, não sem razão, leva-a a pensar que seu trabalho é uma perda de tempo. Se essa pessoa puder mudar de trabalho, provavelmente o fará. Infelizmente, para muitos, essa não é uma opção. Ela acaba por contrair todo tipo de doenças menores, sem dúvida como conseqüência de uma resistência diminuída às infecções porque seu sistema imunológico está reagindo ao sentimento de impotência.

Um conceito popular no mundo dos negócios no momento é a delegação de autoridade. Isso significa que, se alguém for responsável por alguma coisa, sua decisão nessa área deve ser respeitada. Portanto, nesse contexto, isso significa que as pessoas podem acreditar que suas ações terão resultados e não serão descartadas por outros. Todo mundo precisa ter um sentido de objetivo real — sentir que suas ações têm importância e não são apenas exercícios inúteis. Aqueles que sentem constantemente que suas vidas não têm um objetivo real correm um grande risco de ter transtornos depressivos. Discutiremos como vencer esse problema no capítulo 9.

Entretanto, existe um problema maior do que o sentimento de impotência: o sentimento de desesperança. A pessoa que se sente impotente ainda tende a esperar que apareça alguém com uma resposta, alguém que lhe mostrará como vencer sua dificuldade; a pessoa sem esperança deixou de acreditar que existe uma resposta, que resolverá aquela situação. O desesperançado pode até deparar com várias respostas mas, por motivos vários, não acreditará que alguma delas possa ser aceitável.

60   *Depressão*

As pessoas em estado de desesperança não vêem absolutamente nenhuma saída; já não se sentem responsáveis por suas próprias vidas ou seus sentimentos. Dorothy Rowe[10] fala da falta de esperança como uma prisão particular, na qual se tem certeza absoluta de que não há resposta.

É possível se sentir impotente sem se sentir desesperançado, mas a pessoa sempre passa pela sensação de impotência antes da desesperança.

OS PONTOS VULNERÁVEIS DA VIDA

Existem situações na vida que causam mais problemas que outras. A primeira dessas situações é a adolescência. A criança começa a ter um sentimento real de sua própria identidade por volta dessa época, assim começa a ficar vulnerável ao sentimento de impotência. As crianças mais jovens, que não estão acostumadas a exercer grande controle sobre os acontecimentos de sua vida, não se preocupam muito.

Muitas pessoas que se sentem impotentes sofreram alguma forma de chantagem emocional daqueles que as amavam. Vejamos a criança cujos pais têm grandes expectativas em relação a ela. Talvez os pais tenham desejado ir para a faculdade, mas por algum motivo não puderam. Eles podem pressionar demais os filhos para entrarem na universidade, achando ser esse o melhor começo que qualquer pessoa poderia ter. Os filhos, no entanto, talvez não tenham tendências acadêmicas e achem as tarefas escolares muito difíceis. Todavia, como amam muito seus pais e sabem que eles só querem o seu bem, tentam superar-se com todas suas forças.

Porém, apesar de seus esforços, continuam tirando notas ruins. Os pais continuam a estimulá-los, dizendo que têm certeza de que se sairão bem. Podem até usar suas economias para pagar aulas particulares de reforço para os filhos.

Como é se sentir deprimido? 61

As crianças, sabendo de todo o sacrifício que os pais estão fazendo, tentam, mas ainda assim não conseguem.

Finalmente, elas acabam por desenvolver um sentimento de impotência porque nada do que fazem é bom o suficiente. Tentam dizer a seus pais que não querem ir para a universidade. Os pais se zangam e as acusam de ingratidão, depois de tudo o que fizeram por eles. Alguns filhos então se tornam rebeldes e abandonam a escola. Outros são consumidos por um sentimento misto de raiva, culpa e frustração que acabará se transformando em desesperança. Esses filhos podem tentar o suicídio porque não vêem outra solução. Não conseguem fazer o que se espera deles, não conseguem fazer os pais aceitarem o problema, não conseguem se rebelar porque amam os pais e isso iria magoá-los.

Outro problema que as crianças enfrentam é a intimidação e os maus-tratos dos amigos. As crianças que são intimidadas na escola sentem medo. Não têm coragem de conversar com os pais porque têm medo de seus pais irem à escola e fazer um escândalo; as outras crianças acabarão descobrindo e elas serão ainda mais maltratadas. Elas podem tentar falar com alguma autoridade da própria escola, mas isso talvez não tenha efeito sobre os colegas de quem estão sendo vítimas. Assim, elas vivem com medo e ansiedade constantes até que também se sintam sem esperança.

Algumas vezes os pais podem falhar tremendamente quando confiamos neles. Vejamos o caso de Audrey. Sua história data dos anos 50, mas o tipo de chantagem emocional que sofreu é muito comum hoje, embora a situação possa ser um pouco diferente.

Audrey estava noiva de Colin. O casamento estava marcado, os convites haviam sido enviados, a igreja contratada. De repente, Audrey percebeu que não amava Colin. Ela passou muitas horas questionando a si mesma quanto à importância disso. Tentou se convencer de que o amor não era

62 *Depressão*

essencial — sem sucesso, porém. À medida que se aproximava o temível dia, Audrey ficava mais e mais deprimida.

Em nada a ajudava o fato de sua mãe e a mãe do noivo não falarem de outra coisa o dia inteiro. Elas estavam tão excitadas! Audrey ousou uma ou duas vezes pensar nas conseqüências se desistisse, mas sentiu-se tão mal com o desapontamento que causaria às duas mães que não teve coragem. À medida que aumentava seu sentimento de impotência, ela se tornava indiferente aos preparativos. Não conseguia dormir, não tinha vontade de comer e ficava nervosa na presença de Colin. Finalmente, sua mãe percebeu sua angústia e lhe pediu que contasse o que estava acontecendo.

Audrey estava tentada a dizer a verdade a sua mãe, entretanto decidiu não fazer isso. Alguns dias se passaram. A mãe de Audrey pediu outra vez que confiasse nela. Audrey novamente sentiu que não conseguiria. Isso continuou assim até que, finalmente, dois dias antes do matrimônio, ela já não conseguia mais tolerar o futuro que se aproximava. Não podia agüentar a expectativa que todos tinham de vê-la radiante e feliz quando um enorme abismo se abria dentro dela.

Na vez seguinte em que a mãe se aproximou, pedindo a Audrey que confiasse nela e contasse o que estava acontecendo, que tudo poderia ser resolvido, Audrey levou suas palavras ao pé da letra. Confessou: "Eu não quero me casar com Colin", e esperou. Mas viu que estava certa quanto à reação de sua mãe, que imediatamente ficou frenética, falando sobre o que as pessoas iriam pensar, sobre os gastos que já tinham feito, sobre como teriam que devolver todos os presentes. Audrey lembra-se de ter vivido tudo aquilo com certo distanciamento porque não esperava encontrar uma saída — e agora sua mãe estava provando isso. Então, ela voltou atrás e disse que era só nervosismo pré-nupcial e que certamente se casaria com Colin. A mãe

Como é se sentir deprimido? 63

logo se tranqüilizou; Audrey disse o que ela queria ouvir e tudo estava bem.

Audrey me disse que fez seus votos na igreja pedindo perdão a Deus porque não estava sendo sincera. Logo depois do casamento, afundou em um estado de desesperança ainda mais profundo e teve que ficar vários meses internada. Colin mais tarde a deixou por outra mulher.

Outras pessoas ficam deprimidas quando descobrem repentinamente que a vida tem mais a oferecer do que haviam acreditado. Elas têm um vislumbre do que chamo de "pedaços de céu azul"[11] e não são mais capazes de ignorá-lo. Esse termo vem de uma história de E.M. Forster, "A máquina pára".

A história se refere a um tempo no futuro em que a humanidade é forçada a viver em um ambiente sintético embaixo da superfície da terra, porque a superfície está poluída demais. Tudo na vida das pessoas está controlado: quando se reproduzir, o que fazer. Elas nunca caminham e estão perdendo as pernas; a natureza está retrocedendo.

Um dia aparece um rebelde — fato raro, pois as pessoas são geneticamente preparadas. Esse rebelde descobre que existe alguma coisa fora de seu mundo, na superfície. Ele vai até a superfície, mas retorna. A história termina com uma explosão e aqueles que estão embaixo vêem "pedaços do céu azul".

O fato é que, depois de se tornar consciente de alguma coisa fora de seu mundo, não se pode mais ignorá-la. Você não pode voltar ao desconhecimento depois de conhecer alguma coisa, por mais que queira. Adão e Eva descobriram isso quando provaram a maçã.

As pessoas às vezes vêem os seus "pedaços de céu azul" quando suas vidas estão à deriva, sem lhes proporcionar nem altos nem baixos. De repente, acontece alguma coisa que parece puxá-las para a vida outra vez. Percebem que estão ficando velhas e essa é a única vida que terão.

64   *Depressão*

Dão-se conta de que têm responsabilidades financeiras em relação à esposa/esposo e talvez até filhos ainda pequenos, que as apoiaram em seus esforços e que não merecem ser abandonados. Descobrem que têm de fazer uma escolha entre esquecer o que viram e continuar como antes, ou juntar coragem e mergulhar no desconhecido.

Muitas pessoas ficam deprimidas quando reconhecem que realmente gostariam de dar o mergulho, mas não podem magoar aqueles que confiam nelas. Ficam cheias de dúvidas sobre o que devem fazer.

Há pessoas que acabam encontrando uma maneira de se acomodar e desistir, aproveitando ao máximo o que lhes é permitido. Outras não conseguem fazer isso, talvez porque sintam que não conseguiram nada de muito importante em suas vidas.

O ressentimento aumenta. Elas podem decidir desistir e renunciar, porém a determinação não dura e elas se vêem desejando a liberdade. Sentem-se sem controle sobre suas vidas, amarradas como estão às emoções alheias. Tornam-se deprimidas. As pessoas amadas perguntam o que está errado, mas elas não podem dizer.

Algumas vezes a depressão vira desesperança. Nicolas tirou um ano de folga de uma carreira de sucesso como banqueiro. Gastou alguns de seus investimentos para fazer uma viagem de aventuras ao redor do mundo com um grupo de pessoas que havia colocado um anúncio numa revista. Sua esposa e os dois filhos adolescentes estranharam o comportamento dele, mas o atribuíram a um tipo de menopausa masculina e o encorajaram a ir.

Foi a experiência de uma vida. Nicolas se viu completamente livre. Ele não estava mais ligado às convenções e aos comportamentos que esperavam dele. Via sua outra vida como uma hipocrisia, um fingimento. Na última parte da viagem, quando o grupo voltava para a casa, Nicolas sentiu-se incapaz de voltar à vida anterior. Embora amasse sua mulher e seus filhos, não podia enfrentar as expectativas que tinham em relação a ele — as quais já não se achava mais capaz de cumprir. Por outro lado, sentia-se muito mal quando pensava no quanto eles haviam sido compreensivos, estimulando-o.

Nas últimas semanas de seu passeio ele ficou cada vez mais confuso quanto a seus sentimentos. Não podia voltar, mas não queria magoar sua família. Começou a se sentir um inútil e um fracassado. No final, se desesperou. Ao cair na depressão, seu pensamento se tornou cada vez mais irracional e ele se sentia mais e mais pressionado. Não falava com ninguém sobre isso porque se sentia culpado por ter tais pensamentos.

No final, Nicolas morreu ao cair de uma montanha. Ele deixou em seu diário trágicos rascunhos desconjuntados que ajudaram a mostrar como sua doença depressiva tinha se desenvolvido e explicava seu ato final.

Embora consideremos anormal querer se matar — uma vez que todos os nossos instintos estão voltados para a sobrevivência a qualquer custo —, os que pensam seriamente sobre isso, argumentam que sabem perfeitamente o que estão fazendo e que simplesmente não vêem outra alternativa viável. A vida em seu estado presente é intoleravelmente vazia e não há esperança de encontrar uma saída.

O suicídio, não raro, é uma idéia muito difícil para a maioria das pessoas aceitar. Mas acontece. O próximo capítulo é dedicado a esse tema.

CAPÍTULO 6

Suicídio

Não é um tema fácil de abordar, mas omiti-lo em um livro dedicado à depressão seria um erro. Se você teve alguma experiência com o suicídio e ainda sente raiva e culpa a respeito disso, deveria procurar auxílio profissional para ajudá-lo a resolver o problema. Trata-se de um aspecto muito sério da depressão, que não se resolve facilmente com técnicas de auto-ajuda.

De qualquer maneira, este capítulo pretende explicar alguns aspectos concernentes ao suicídio àqueles que podem estar cuidando de alguém que está deprimido, ajudando-os a aumentar seu conhecimento do potencial suicida. Este capítulo não foi escrito para aqueles que pensam eles próprios em suicídio; de qualquer maneira, provavelmente eles não estariam com vontade de ler nada a respeito deste assunto.

Só no Reino Unido, são cerca de duzentas mil tentativas de suicídio por ano. Um relatório do *Health Advisory Service* de 1994, dando orientação sobre a prevenção do suicídio, informou que em 1992 houve mais mortes por suicídio na Inglaterra e no País de Gales (5.542) do que devido a acidentes automobilísticos (3.814). O relatório sugere que os profissionais de saúde deveriam considerar mais seriamente os casos de suicidas potenciais e estimulá-los ativamente a viver.

Há pessoas que ameaçam cometer suicídio e há as que se matam sem fazer nenhuma ameaça. Ambos os casos merecem ser levados muito a sério.

As pessoas que ameaçam se suicidar estão pedindo auxílio. Estão nos dizendo que, pelo que podem ver, todas as saídas para seus problemas pessoais estão fora de seu alcance. Estão pedindo socorro para tornar alguma saída possível. Elas não estão chamando atenção apenas pelo desejo de chamar atenção.

No capítulo anterior explicamos, para aqueles que tiveram a felicidade de nunca passar pelos sentimentos devastadores da depressão profunda, como é essa sensação e como ela distorce a percepção que se tem do mundo e de seu lugar no mundo. Com esse conhecimento, é possível imaginar como o suicídio pode parecer, para a pessoa deprimida, a única saída possível para seus sofrimentos.

Felizmente, embora os que estejam profundamente deprimidos possam ser atraídos pelo alívio do suicídio, em geral falta-lhes um mínimo de vontade ou impulso para colocar seus desejos em prática. A depressão profunda leva algumas pessoas a acreditar que são tão indignas que não merecem escapar dessa maneira, elas acham que merecem continuar sofrendo.

Ironicamente, à medida que sua condição parece melhorar, alguns encontram a força de que precisavam para tal ato. As pessoas a seu redor ficam muito confusas porque acreditavam que a pessoa estivesse melhorando.

Aqueles que estão realmente determinados a cometer o suicídio nada dirão de seus planos por medo de serem atrapalhados. Os que realmente já não querem viver encontrarão algum modo de colocar isso em prática.

Recentemente, assisti a uma entrevista na tevê com uma mulher cujo filho havia sido assassinado. Essa mulher não tinha outros parentes, nem esposo. Seu filho era tudo o que tinha na vida. Ela explicava que, do ponto de vista dela, já não havia razão para viver. Ela tentou o suicídio mas, por pura casualidade, foi encontrada e ressuscitada. No entanto, como muitas pessoas que realmente querem morrer, ela não ficou nada contente por ter sido salva e jurou que da próxima vez conseguiria. Parecendo estar completamente racional, nem demasiado perturbada nem obviamente deprimida, explicou que acreditava que a opção de tirar sua própria vida deveria lhe ser permitida.

Essa mulher perdera sua única razão de viver — seu filho. Até onde podia ver, não tinha mais nenhum motivo para continuar vivendo.

Essas decisões, tomadas quando se está sofrendo de depressão, parecem realmente ser efeito de uma mente desequilibrada. Já mencionamos que os sentimentos de baixa auto-estima e de desvalorização andam de mãos dadas com a depressão. Aqueles cujas vidas são mais limitadas em atividades e relacionamentos estão mais sujeitos à depressão e ao suicídio do que os que têm a vida mais movimentada. O suicídio é mais comum após um período de luto. É também relativamente comum nos homens idosos que, não tendo mais trabalho a cumprir ou alguém a quem prover, se sentem como se tivessem perdido a razão de viver. Os homens idosos também são mais propensos do que as mulheres idosas a cometer suicídio quando tomam conhecimento de que estão sofrendo de alguma doença grave.

Determinadas profissões têm mostrado taxas mais altas de suicídios do que outras. Os médicos se incluem nesse grupo. Nesse caso, o estresse profissional sempre foi citado como uma razão viável para que exista uma média maior de médicos cometendo suicídio.

Dois outros grupos também apresentam taxas elevadas: veterinários e agricultores. Essa estatística prescendia de uma explicação satisfatória até que recentemente foi sugerido que uma infecção virótica que os humanos podem contrair quando em contato com determinados animais pode levá-los a, se infectados, tornarem-se gravemente deprimidos, podendo chegar ao suicídio. Faz sentido. Sabemos que as infecções viróticas, como a gripe, freqüentemente nos deixam um pouco para baixo, algumas vezes até mesmo deprimidos. Não é inconcebível, portanto, que algumas infecções provoquem mais doenças depressivas graves do que outras. Essa hipótese, no entanto, ainda não foi testada.

Seja qual for a verdade, quem suspeita que alguém está pensando em se matar em geral faz todo o possível para evitar isso, na crença de que a pessoa um dia se sentirá feliz por ainda estar vivo. No entanto, quem está realmente determinado a morrer tomará cuidado para que ninguém perceba suas intenções. Assim, se isso chegar a acontecer, você deve aceitar que, por mais equivocada que tenha sido, foi uma escolha da pessoa.

O suicídio é quase sempre escolhido como a única saída, quando o deprimido já não é capaz de suportar a vida como ela está, nem um minuto que seja. Não pode mudar sua vida por vários motivos, geralmente envolvendo as expectativas de outras pessoas em relação a ela, ou expectativas que ela acha que os outros têm. Algumas vezes é porque acredita que já não pode cumprir nenhum propósito útil na vida e é uma carga para aqueles que amam, para seus amigos, para a sociedade.

Há situações em que o suicídio se constitui em um ato final de hostilidade para com aqueles que ela acha que não permitirão que mude, ou em um ato final de orgulho.

Uma tentativa de suicídio fracassada pode ser vista como um pedido muito real de socorro. As pessoas deprimidas, a essa altura, geralmente já ultrapassaram o limite no qual ainda podemos esperar que elas mesmas possam se ajudar. Elas precisam de ajuda — ajuda profissional — e da aceitação e do apoio daqueles ao seu redor. Precisam ser levadas a sério: não conseguirão sair desse estado em um abrir e fechar de olhos. Acredite em mim, essa seria a primeira coisa que fariam, se pudessem!

Suicídio em família

A maioria dos suicidas acredita que falhou de alguma maneira. Uma mãe, por exemplo, cujo casamento terminou e que não tem um lar nem dinheiro pode chegar a acreditar que não é uma boa mãe. Ela não consegue ver um futuro para si mesma. Tragicamente, essas mulheres algumas vezes são incapazes de ver um futuro para seus filhos, tampouco. Elas querem se matar, mas não agüentam pensar em abandonar seus amados filhos à caridade de terceiros. Sob essas circunstâncias, essas mães matam primeiro seus filhos antes de se suicidarem.

Já tomei conhecimento de casos em que, depois de matar seu filho, uma mãe foi encontrada e salva da morte. A infeliz mulher foi tratada da depressão e então teve de enfrentar a vida sem seu filho. O remorso deve ser intolerável.

De tempos em tempos também há notícias na imprensa sobre pais em posição semelhante. O homem perde seu emprego, não tem dinheiro, vê sua família perder a casa. Sua própria razão de ser, seu papel como provedor, não mais existe.

Homens que foram abandonados pela esposa e tiveram que criar os filhos sozinhos algumas vezes ficam desesperados. Sentem que estão falhando com seus filhos e que falharam como homens por não terem sido capazes de manter a esposa.

Esses homens podem chegar a tentar matar suas famílias e se suicidar.

Suicídio acidental

Muitos profissionais da saúde tentam estabelecer uma diferença entre tentativas de suicídio nas quais a pessoa realmente tentou se matar e aquelas tentativas em que o gesto

72 *Depressão*

dramático tem a intenção de chamar atenção para um problema emocional, constituindo-se num pedido de socorro.

A maioria de nós já ouviu falar de pessoas que tentaram terminar um relacionamento e escutaram o parceiro dizer: "Se você me abandonar, eu me mato". Essa é uma arma muito usada por pessoas que não querem enfrentar a realidade e que equivocadamente acreditam que podem mudar o sentimento do outro pela coerção.

Em grande parte dos casos, essas ameaças não são mais que ameaças. Algumas vezes, a pessoa que está ameaçando fará um gesto, como se cortar superficialmente. Algumas vezes, ficarão muito bêbadas e continuarão dizendo que querem morrer. Corações partidos, porém, tendem geralmente a se curar logo. Aqueles que mais se queixam de estarem irremediavelmente perdidos são os que formam novos relacionamentos com mais rapidez.

Por mais triste que seja, no entanto, de tempos em tempos a tentativa de melodrama atinge seu auge. Ocasionalmente, quase sempre quando bêbadas, pessoas assim podem tomar mais pílulas do que planejavam e morrer por engano. Quase sempre esses suicídios "acidentais" acontecem com pessoas com menos de 25 anos.

Um exemplo trágico é o de Natasha. Ela tinha 17 anos quando conheceu Stephen, de trinta. Natasha estava lisonjeada com o interesse dele e, contrariando os conselhos de sua mãe, foi morar com ele.

Stephen então se tornou cada vez mais possessivo, não permitia que saísse com seus amigos, tinha ciúmes se ela conversava com colegas homens na escola. Natasha deixou de ver os amigos e abandonou sua ambição de ir para a universidade.

Sua mãe implorou que ela voltasse para casa, mostrando que Stephen não estava sendo bom para ela. Natasha ficou dividida. Amava sua mãe, mas achava que também amava Stephen e não suportava a idéia de magoá-lo, ainda que detestasse o rumo que sua vida estava tomando por causa dele.

Ela pedia à mãe repetidamente que não a obrigasse a fazer uma escolha. Sua mãe, todavia, não podia suportar o que estava acontecendo à filha, antes sociável e feliz, perdendo sua juventude. Continuou pressionando Natasha sempre que tinha oportunidade.

No final, Natasha tomou uma overdose de pílulas porque não conseguia achar uma alternativa. Se sua mãe tivesse esperado, sem pressioná-la tanto, as coisas poderiam acabar se resolvendo por si mesmas. Acreditou-se que Natasha não queria morrer de verdade. Ela simplesmente queria aliviar a pressão emocional sobre ela, mas calculou mal.

Existem casos freqüentes de jovens desesperados que tomam uma overdose num impulso e depois mudam de idéia e procuram ajuda. Infelizmente, uma overdose de alguns remédios fáceis de encontrar, como paracetanol (Tylenol), por exemplo, é mais prejudicial do que se pensa e pode levar à morte por falência do fígado alguns dias mais tarde, quando o desejo impulsivo de morrer já passou.

OS QUE SÃO DEIXADOS PARA TRÁS

Muitas vezes as pessoas amadas pelos que se suicidam se sentem responsáveis por esse ato. Depois sentem raiva da pessoa por não haver confiado que o amor delas seria o bastante para ajudar, seja qual fosse o problema, e por fazê-las sofrer com sua morte.

O suicídio é visto pelos que são deixados para trás como o supremo ato de egoísmo. Entretanto, uma pessoa deprimida não pode imaginar como sua família e seus amigos vão se sentir ao perdê-la. Se elas não conseguem sequer se importar consigo mesmas, como vão conseguir pensar nos sentimentos dos outros? Como perderam toda sua auto-estima e sentem-se totalmente sem valor, não podem

74   *Depressão*

acreditar que alguém possa ver alguma coisa boa nelas nem que se importe com elas. Esse estado é de fato um inferno, totalmente impossível de ser imaginado em sua desolação por alguém que não esteve lá.

Se alguém perto de você cometeu suicídio e você está se sentindo culpado e com raiva, lembre-se de que só conseguirá ir adiante se aceitar isso. Nós temos de aceitar o que não podemos controlar nem mudar.

CAPÍTULO 7

Existe alguma ajuda?

Um dos maiores problemas para vencer a depressão é admitir que se está sofrendo dela e dizer isso aos outros. Muitas pessoas não procuram ajuda até acharem que não conseguem mais agüentar. Existe o medo de que serão consideradas mentalmente fracas, de que isso prejudicará as perspectivas de emprego, as promoções na carreira, o seguro de vida etc.

Não surpreende que existam laços fortes entre o alcoolismo e a depressão. As pessoas bebem para esquecer, mas a depressão ainda estará lá na manhã seguinte, junto com a ressaca.

Em nossa sociedade, onde se permite que as mulheres mostrem mais seus sentimentos do que os homens, as mulheres com depressão procuram ajuda mais freqüentemente. Os homens têm medo de parecerem fracos. Poucas pessoas reconhecem que a depressão é uma doença física tanto quanto o câncer.

É uma sociedade estranha esta em que as pessoas podem ser consideradas fracas porque têm a infelicidade de desenvolver uma depressão sem ter nenhuma culpa disso. No entanto, esses preconceitos geralmente aparecem em virtude do medo e da falta de conhecimento. Muitas pessoas têm medo de estarem ficando loucas. Têm medo do poder de suas próprias mentes, preocupam-se em perder o controle e fazer coisas que não gostariam de fazer. Para muitos, qualquer doença psíquica é o primeiro passo para a

76 *Depressão*

loucura. Contudo, isso faz tanto sentido quanto, toda vez que tiver uma gripe, ter medo de que a virose se transforme numa doença incurável do fígado.

Nos anos 70, não era socialmente aceitável ser ansioso. Desde então, o estresse (a face aceitável da ansiedade) foi relacionado com posições de grande poder, grandes realizações e com pessoas conscienciosas. O estresse já não é visto como uma fraqueza da parte da pessoa deprimida. Hoje ele é considerado um sinal de que ela trabalhou demais — na verdade, quase se tornou um símbolo de status! Se alguém não tem estresse, é porque não está trabalhando o bastante!

A inabilidade de enfrentar a vida, seja por causa do estresse, da depressão ou de um câncer, ainda é considerada um defeito. As causas e as curas dizem respeito não apenas à mente ou ao corpo, mas também a uma relação muito complicada entre os dois. Ninguém desenvolve nenhum desses problemas porque escolhe, embora se possa desenvolver todos ou qualquer um deles como resultado da maneira como a pessoa pensa e se comporta em resposta ao que a vida coloca para ela. O problema é que a sociedade não reconhece isso.

De vez em quando aparecem artigos em revistas nos quais pessoas famosas e celebridades admitem ter sofrido de depressão. Com o tempo, esse tipo de revelação mudará a atitude do público em geral, e os que são corajosos o suficiente para reconhecer seus problemas em público devem ser elogiados.

Então, que tipo de ajuda existe hoje?

PROFISSIONAIS DA SAÚDE

Médicos

Alguns clínicos gerais são mais simpáticos aos problemas mentais do que outros. Muitos prescrevem antidepressivos,

Existe alguma ajuda? 77

pois existem vários no mercado e geralmente trata-se apenas de encontrar o mais adequado para cada paciente. Existe uma tendência de muitos casos de depressão serem diagnosticados como ansiedade, e tranqüilizantes são receitados quando antidepressivos seriam mais adequados.

Uma pessoa com depressão também pode mostrar sinais de ansiedade; pode ter, por exemplo, ataques de pânico. Um médico nem sempre tem tempo hábil para analisar os sintomas com o cuidado necessário de modo a determinar a diferença. Além disso, nos estágios iniciais das doenças depressivas, o paciente enfatiza os sintomas de ansiedade porque são os mais desagradáveis. Freqüentemente se nota a depressão só mais tarde.

Psiquiatras

Os casos mais graves de depressão são mais bem tratados por psiquiatras. Eles possuem experiência mais ampla com os resultados de cada tipo de antidepressivo e terão mais facilidade em encontrar o melhor para cada caso. Os clínicos gerais enviarão os pacientes para um psiquiatra. Isso não quer dizer que eles estão ficando loucos. O antidepressivo certo fará com que se recuperem mais rapidamente.

Aconselhamento

Vários tipos de depressão mais leve podem ser tratados apenas conversando sobre o problema. A oportunidade de conversar sobre seus sentimentos pode ser o suficiente para ajudar muitas pessoas a se sentirem melhor. Os benefícios possíveis de se obter mediante uma simples conversa com alguém que não julga o que você está dizendo são discutidos no capítulo 8.

78   *Depressão*

Psicólogos clínicos

Um médico também pode enviar o paciente para um psicólogo clínico, que geralmente emprega algum tipo de terapia cognitiva (cognitiva quer dizer "fazer com o pensamento"). Isso significa simplesmente tentar mudar a maneira como a pessoa pensa e vê a vida de modo geral. É possível que a maneira como as pessoas deprimidas vêem a vida e a forma como reagem ao que lhes acontece estejam tornando-as mais vulneráveis à depressão. A ajuda terapêutica para mudar seu modo de pensar pode torná-las menos vulneráveis no futuro.

Existem muitos tipos diferentes de terapias. O importante é que os pacientes sintam que o tratamento utilizado está sendo útil. Eles precisam entender seus problemas nos termos em que os psicólogos descrevem.

Como psicóloga clínica, incluí neste livro algumas sugestões por meio das quais você pode ser capaz de se ajudar usando esses métodos. Descrevo-as no capítulo 9. Obviamente, em um livro genérico como este nem todas as sugestões serão adequadas para você. De qualquer maneira, pode haver algo que lhe ofereça alguma ajuda.

MÉTODOS DE TRATAMENTO

Antidepressivos

Muitas pessoas relutam em tomar algum medicamento, especialmente os que mexem com os humores. Existe também o medo de que esses remédios provoquem dependência. O público se assustou com informes recentes sobre o vício provocado por tranqüilizantes e desconfia de qualquer coisa que acha que teria efeitos semelhantes.

Os antidepressivos, porém, não são semelhantes aos tranqüilizantes. De modo geral, não provocam dependência,

Existe alguma ajuda? 79

nem produzem resultados imediatos como os tranqüilizantes. Um antidepressivo geralmente tem que ser tomado durante duas ou três semanas para começar a surtir efeito. Um grande número de pessoas com depressão melhora com o primeiro antidepressivo receitado. De qualquer maneira, se o primeiro não funcionar, ou se produzir efeitos colaterais inaceitáveis, relate a seu médico. Os antidepressivos não são todos iguais e pode ser que você tenha que achar o mais adequado através da experimentação.

Terapia eletroconvulsiva (TEC)

TEC é o tratamento do qual todo mundo tem medo porque já foi mostrado em filmes como um tratamento muito mais bárbaro do que é. Não é para ser ministrado irresponsavelmente, mas pode produzir de fato uma melhora drástica em casos muito graves.

O tratamento é administrado enquanto o paciente está inconsciente. Colocam-se eletrodos perto das têmporas e descarrega-se um choque elétrico no cérebro. Esse procedimento provoca convulsão, daí o nome. O período de tratamento geralmente consiste em seis dessas sessões, duas por semana.

O TEC se mostrou muito eficaz quando os antidepressivos não obtiveram sucesso. Não se sabe realmente por que funciona, embora descobertas recentes em relação a mudanças em diferentes partes do cérebro de pessoas deprimidas estejam começando a lançar algumas luzes sobre o assunto.

Em alguns lugares dos Estados Unidos está em voga usar estimulador cranial elétrico (ECE). São pequenas máquinas que os pacientes podem adquirir, desde que tenham receita médica. Elas descarregam um choque elétrico muito pequeno na superfície da cabeça por meio de pequenos eletrodos — seria uma versão em miniatura do TEC. Pes-

80   *Depressão*

quisas iniciais[12] mostram que a utilização dessas máquinas estimula a produção de determinadas químicas e reajusta o equilíbrio entre elas. Muitas dessas químicas são as mesmas encontradas nos antidepressivos, mas são produzidas pelo próprio corpo. Provou-se que essas máquinas melhoram o estado do paciente quanto à depressão em algumas semanas. É preciso enfatizar, no entanto, que ainda não foi realizada nenhuma pesquisa sobre os efeitos a longo prazo dessas máquinas, portanto sua utilização não pode ser amplamente recomendada.

Terapia com a luz

Essa terapia tem sido considerada eficaz nos casos de transtornos afetivo sazonal (TAS). O tratamento consiste em sentar-se diante de uma luz de amplo espectro durante quatro horas diárias, de preferência de manhã. Trata-se de um substituto para a luz natural do sol, cuja falta parece causar essa forma de depressão. Melhora evidente pode ser obtida em uma ou duas semanas.

Embora não seja um tratamento amplamente disponível, em alguns países europeus é possível comprar sua própria lâmpada especial para usar em casa. Porém, primeiro é melhor ter certeza de que a depressão é do tipo TAS.

AMIGOS E RELACIONAMENTOS

Muitas pessoas podem se ajudar sobremaneira apenas com uma boa conversa com um ouvinte atento, em que possam falar de seus sentimentos. Por outro lado, falar com um ouvinte pouco compreensivo pode fazer uma pessoa se sentir muito pior.

A depressão pode ser sentida como se a pessoa estivesse perdida em um longo e escuro túnel. Algumas vezes o

Existe alguma ajuda? 81

fato de sacudir um pouco os sentimentos pode mostrar uma luz no final desse túnel. O ouvinte não tem que dar conselhos de nenhum tipo; é melhor que as pessoas deprimidas trabalhem por si mesmas para fazer o que deve ser feito.

O papel que amigos e relacionamentos podem desempenhar é discutido com mais detalhes no próximo capítulo.

GRUPOS ASSISTENCIAIS E DE AUTO-AJUDA

Algumas pessoas que venceram, ou ajudaram parentes próximos a vencer algum transtorno particular, sentem-se estimuladas a compartilhar com os outros o que aprenderam. Assim, provavelmente existem em sua cidade alguns grupos assistenciais ou de auto-ajuda. Em geral, oferecem de informação a reuniões de apoio.

Se você acha que gostaria de entrar em contato com outros que já passaram por isso, procure mais informações com seu médico ou com os profissionais de saúde que trabalham em sua cidade.

RECUPERAÇÃO ESPONTÂNEA

As depressões podem se curar por si mesmas. Não é incomum uma pessoa sentir-se deprimida durante meses e então, de repente um dia, acordar e ver que já passou. A mesma coisa acontece com dores de cabeça, por exemplo, mas todos sabemos que é mais fácil ficar livre de uma dor de cabeça mais rapidamente com remédios, portanto tomamos um analgésico.

Se a depressão for leve, essa abordagem pode funcionar. Uma depressão moderada se beneficiará mais da ajuda profissional a fim de que os sintomas sejam aliviados mais rapidamente. Uma depressão grave, sem dúvida, necessita de ajuda profissional.

CAPÍTULO 8

Como a família e os amigos podem ajudar

Todas as pessoas deprimidas precisam conversar. Para conversar, alguém tem que escutar, mas um bom ouvinte é algo muito raro de se encontrar.

As pessoas com qualquer tipo de problema psicológico têm que achar a saída por si mesmas. Se soluções são sugeridas e a pessoa é convencida de que deve aceitá-las, freqüentemente o resultado é apenas uma melhora temporária — se é que existe alguma. Chamo a isso de "falsa decisão".

A falsa decisão é aquela que a pessoa é convencida a adotar. Você pode se lembrar de ocasiões em que isso aconteceu consigo mesma. Certamente foi o que aconteceu há pouco tempo com um amigo meu. Ele estava prestes a comprar um carro para a família. Ele e a esposa pesaram cuidadosamente todos os prós e os contras e decidiram que um modelo popular de perua seria a melhor opção. Era econômico, teria capacidade para a carga que costumavam levar, era confiável etc. Mas eu ainda posso visualizar seu rosto quando ele me falou sobre essa escolha — sem nenhum entusiasmo.

Todos os argumentos lógicos levavam àquele modelo — todos, exceto aquela chama pessoal de individualidade, aquele espírito que, dentro de cada um de nós, nos faz comprar coisas que nem sempre são a escolha melhor, a opção mais sensata. "Mas o que você quer mesmo é o Range Rover, não é?", perguntei. Seu rosto se iluminou. Da vez seguinte que nos vimos, ele me deu uma carona no Range Rover.

84   *Depressão*

Essa é a falsa decisão. É a escolha que ou a pessoa se sente obrigada a fazer porque parece a decisão mais lógica, ou é a decisão que foi convencida a tomar por outras pessoas, por não ter uma alternativa pessoal. Uma "falsa decisão" é apenas isso. Quando tomada, há um esforço para que nos adequemos a ela. Quando a pressão que foi exercida deixa de existir, ela pula, como um elástico muito esticado voltando à sua posição original, caso não haja motivação suficiente ou espaço interior para ela se encaixar.

Isso é o que acontece na terapia malfeita. Ao paciente são dados uma interpretação de seus sintomas e o motivo que os causou. Se o paciente concorda com essa interpretação, e vê o problema nos mesmos termos, então a forma está no lugar para sustentar a decisão ali mesmo quando o terapeuta não estiver mais à disposição, e o paciente melhora. No entanto, se o paciente não consegue assimilar a interpretação do terapeuta, quando a terapia terminar, ele simplesmente cairá em depressão de novo.

Como a maioria dos pacientes não tem uma idéia definida de por que seus problemas apareceram, precisam explorar as possibilidades, procurar respostas viáveis por si mesmos. Em resumo, precisam conversar. Eles quase sempre acham as respostas corretas sozinhos, se tiverem tempo e incentivos ocasionais, com perguntas adequadas.

Assim, um bom ouvinte é o que as pessoas deprimidas mais precisam: alguém que as escute, talvez faça algum comentário se solicitado, mas que não as julgue nem tente persuadir a chegar a conclusões que não querem ou a que não estão prontos para chegar por si mesmas.

Isso nos traz outra dificuldade — o envolvimento pessoal. Ao tentar entender de onde vêm seus problemas, a pessoa pode querer expressar sentimentos e opiniões sobre membros da família ou amigos íntimos. É muito difícil para esses parentes ou amigos escutarem com neutralidade essas revelações. É natural que se sintam magoados ou incom-

Como a família e os amigos podem ajudar   85

preendidos porque o ponto de vista e as interpretações da pessoa deprimida talvez não sejam precisos, segundo eles. Mas, para que essa pessoa possa ser auxiliada, suas opiniões devem ser consideradas e não apenas descartadas como se fossem pouco exatas. Portanto, de modo geral, é melhor que a pessoa deprimida tenha a oportunidade de conversar com alguém que não esteja pessoalmente envolvido. Por conseguinte, nos casos mais complicados, é melhor procurar ajuda profissional, caso contrário o problema pode se estender para outros membros da família.

Os que podem ser mais ajudados por outros membros da família ou amigos íntimos são aqueles que estão deprimidos por algum problema específico — a morte de um ente próximo, por exemplo. Nesses casos, conversar à vontade com alguém que também conheceu a pessoa referida ajuda.

Ainda assim, eles precisam de alguém que os escute, não alguém que lhes diga que precisam reagir e continuar a tocar a vida. Aqueles que são forçados a passar sobres seus sentimentos acabarão apenas reprimindo-os. Continuarão a se sentir tristes por dentro, porém, sem mostrar isso. Os sentimentos ainda estarão lá e provavelmente reaparecerão em algum outro momento, junto com o ressentimento para com a pessoa que os forçou a escondê-los antes — a falsa decisão.

As pessoas deprimidas precisam ter seus sentimentos reconhecidos. Precisam ter espaço para se sentir como se sentem por quanto tempo necessitarem, sem que os contradigam ou que lhes seja dito que deixem de ser bobos quando ousam expressar seus sentimentos.

Ninguém fica deprimido se puder evitar. É a vida mais vazia, terrível e triste que se possa imaginar. A pessoa se sente isolada e incapaz de se importar com alguma coisa, embora queira. Dizer às pessoas deprimidas para sair desse estado só serve para fazer com que escondam seus verdadeiros sentimentos no futuro.

86 *Depressão*

As pessoas que estão deprimidas ficam apáticas. Não conseguem ter energia para dizer aos outros como se sentem realmente, ou o que querem, nem têm energia para discutir. Assim, normalmente elas não conseguem dizer aos que as cercam como se sentem e o que poderia ajudá-las. Muitas vezes, nem elas mesmas conseguem entender o que está acontecendo. Às vezes só descobrem que não querem alguma coisa depois que já lhes deram; ou compreendem que não querem ouvir alguma coisa depois que já ouviram. Raramente descobrem o que pode ajudar de fato, porque poucos dos que estão perto compreendem o que está acontecendo.

Para outra pessoa, o fato de se sentirem assim pode parecer injustificado, ilógico ou ingrato, e elas podem concordar. Mas isso não faz com que parem de sentir o que estão sentindo, e seus sentimentos são muito reais. Tentar negar o que elas sentem é lhes negar o direito de ter seus sentimentos. É dizer que sua opinião é mais válida do que a delas. Para começar, é exatamente essa incapacidade de aceitar os próprios sentimentos que contribui para a depressão.

Se alguém que você ama está deprimido, se você realmente quer o melhor para ele, deve permitir que mude. Deve se preparar para descobrir o que está escondido lá no fundo; ele talvez não seja a pessoa que você sempre achou que fosse. Deve permitir que se torne o que realmente é. Quando ele age diferentemente do que sempre agiu, você não deve mostrar sua reprovação, dizendo: "Isso não se parece com você. Por que fez isso?". Agir assim é negar à pessoa o direito de expressar seus sentimentos verdadeiros. Pode não se parecer com a pessoa que você deixou desenvolver em sua cabeça, mas pode parecer a pessoa verdadeira que ele sempre teve medo de revelar até então, por medo do ridículo ou da reprovação.

"Eu amo você" significa "Eu quero que você seja feliz, eu quero para você o que você quer para você mesmo".

Como a família e os amigos podem ajudar   87

Não significa "Eu quero você porque *eu* preciso que você desempenhe um determinado papel em *minha* vida".

Não há partes culpadas aqui. Ninguém deve se culpar. Temos de aceitar o que é e caminhar a partir daí. Como amigo ou parente de uma pessoa deprimida, você também pode precisar de apoio profissional para ajudar a entender a nova pessoa que certamente surgirá quando a depressão passar.

Portanto, se você for o confidente de uma pessoa deprimida, esforce-se para escutar mas não julgar. Deixe-a falar, faça sugestões se achar apropriado, porém permita que ela mesma tire as próprias conclusões. Seu papel é ajudá-la a passar pela depressão da maneira menos dolorosa possível.

Você deve admitir o que essa pessoa sente e o fato de que ela precisa se sentir assim naquele momento. Deve admitir que ela sinta o que diz estar sentindo. A coisa mais frustrante que uma pessoa deprimida pode escutar quando teve a coragem de confiar em alguém é "Você está deprimido? Bem, como acha que *me* faz sentir dizendo isso?" Se você vai tentar ajudar, deve pôr seus sentimentos de lado. Não é você que está deprimido e incapaz de enfrentar as coisas (ou, se está, então deveria estar procurando ajuda também e não tentando ajudar os outros).

Sobretudo, você deve ser paciente e procurar ajuda profissional se se sentir incapaz de agüentar a situação. Pode ser emocionalmente desgastante ver alguém a quem você ama sofrer, em especial quando não pode fazer nada óbvio para ajudar e quando não é possível entrever uma melhora óbvia.

Os idosos e os adolescentes são especialmente propensos à depressão. São dois grupos de pessoas a quem as outras tendem a considerar que necessitam de ajuda e orientação e incapazes de tomarem suas próprias decisões. Essa atitude protetora pode fazer com que pessoas vulneráveis, as que têm baixa auto-estima, comecem a sentir que estão perdendo o controle e fiquem deprimidas.

As pessoas idosas podem se sentir deprimidas quando suas vidas estão limitadas por problemas de saúde ou falta de dinheiro. Podem tornar-se incapazes de sair de casa como faziam antes. A falta de dinheiro pode fazê-las se sentirem limitadas porque não podem visitar a família ou dar presentes aos netos, como gostariam. À medida que envelhecem, já não vêem a possibilidade de as coisas melhorarem, muito pelo contrário. Portanto, perdem a esperança.

Um esforço para entender a origem dos sentimentos das pessoas idosas quando ficam deprimidas pode possibilitar o tratamento da causa. O que elas precisam é de alguma esperança no futuro — como todos nós. Precisam ter meios à sua disposição, mas também a possibilidade de escolha. Precisam ser capazes de manter seu auto-respeito e tanto controle sobre suas vidas quanto possível. Não surpreende que pesquisa recente tenha mostrado que velhos rabugentos, que não permitem que outros mandem em suas vidas, vivam mais. É a perda de esperança e a desistência que matam. Os idosos podem precisar de ajuda para encontrar companhia se e quando precisarem, mas não querem ser tratados como criancinhas!

Os adolescentes ficam deprimidos porque muitas vezes julgam seu próprio valor de maneira inadequada. Não têm auto-estima e pensam que ninguém vai achá-los atraentes, contratá-los para um trabalho etc. É devastador para um adolescente não poder se vestir e se comportar como seus amigos — só os jovens muito confiantes são capazes de resistir à pressão do grupo.

Os maus-tratos de colegas na escola também são outra fonte de depressão. Os jovens têm medo desses colegas, mas têm ainda mais medo das represálias. A maioria resolve o problema pensando em abandonar a escola ou matando aulas. Os que não encontram uma alternativa ficam deprimidos. Um jovem cujo comportamento em casa muda, que se torna muito agressivo ou apático, precisa de avaliação cuidadosa.

CAPÍTULO 9

O que você pode fazer para se ajudar

Para começo de conversa, é verdade que as pessoas deprimidas ficam demasiado apáticas para fazer alguma coisa para se ajudar, mas então elas não estariam lendo este livro! Pessoas que estão deprimidas demais *precisam* procurar ajuda profissional. Este capítulo é dirigido àquelas que ainda são capazes de tomar iniciativas para se auto-ajudar.

Uma razão pela qual as pessoas sucumbem à depressão, enquanto outras, dadas as mesmas circunstâncias, não o fazem é uma diferença na forma de pensar. O que pensamos é o que nos faz diferentes uns dos outros. Seria na verdade um mundo muito entediante se todos pensássemos da mesma maneira. Não há uma maneira certa ou errada de pensar. Nossos pensamentos são a única coisa pela qual não podemos ser condenados — desde que não os expressemos. Podemos pensar exatamente o que nos agrada e ninguém mais precisa saber. Isso sim é liberdade!

Infelizmente, muitas vezes não temos consciência da maneira como pensamos e podemos chegar a compreender isso apenas quando passamos por problemas psicológicos. Duas pessoas podem passar por traumas idênticos, e no entanto uma delas pode superar rapidamente o seu problema e sair ilesa, enquanto a outra pode desenvolver TEPT ou coisa parecida.

90 *Depressão*

Igualmente, parece que os que sofrem de depressão têm alguns pensamentos em comum. Se eles conseguirem alterá-los, a vida pode parecer muito diferente. Então, que pensamentos são esses? Nós vamos chamá-los de "falsas crenças", por razões que logo ficarão claras.

FALSAS CRENÇAS

Primeiro, uma pequena experiência. Qual das histórias seguintes você acha mais interessante?

1. A galinha ruiva

Talvez você tenha escutado esta história quando criança. Um dia a galinha ruiva saiu de casa e achou um grão de milho. Levou-o para a fazenda e perguntou aos outros animais se eles a ajudariam a plantá-lo. Seus amigos se recusaram e então a galinha ruiva plantou o grão sozinha.

Quando a galinha ruiva perguntou aos animais da fazenda quem a ajudaria a regar a semente, colher o milho, levá-lo ao moleiro para moê-lo em farinha para depois preparar o pão, todos se recusaram, e ela teve que fazer tudo sozinha.

Finalmente, ela tirou o pão recém-assado do forno e todos os animais a rodearam, cheirando o pão fresquinho. A galinha ruiva perguntou quem a ajudaria a comer o pão e, claro, dessa vez todos levantaram as patas, aceitando o convite.

Então foi o momento de triunfo da galinha ruiva. Ela lhes disse que, como ninguém quis ajudá-la nos preparativos, também não iriam participar na hora de comer o pão. E comeu-o todo sozinha!

2. O filho pródigo

Esta história é bíblica. Fala de dois irmãos, que iriam ambos ser herdeiros do pai, no futuro. Um dos irmãos não queria esperar pela sua parte e perguntou a seu pai se poderia recebê-la mais cedo. O pai concordou, e o primeiro filho saiu em viagem.

O segundo filho ficou e, conseqüentemente, teve de fazer as tarefas de seu irmão, além das suas. De qualquer maneira, o segundo filho estava convencido de que estava fazendo a coisa certa, de que estava cumprindo seu dever.

O pai, no entanto, sentia falta do primeiro filho. Depois de muitos anos, esse filho retornou a sua casa sem nada, pois gastara toda a sua parte da herança. O pai mandou matar um bezerro gordo e fazer uma grande festa para celebrar a volta do amado filho.

O segundo filho ficou furioso. Não entendia por que tanto barulho para o irmão que se furtou de seus deveres, foi embora, portou-se de maneira irresponsável e depois ainda teve a coragem de voltar sem dinheiro e esperar retomar as coisas onde as havia deixado. O segundo filho se queixou ao pai: "Por que está sendo tão bom com ele? Eu fiquei aqui o tempo todo, e cumpri com os meus deveres e, no entanto, nunca fizeram uma festa em minha honra".

O pai lhe disse apenas que estava tão feliz por ter o filho de volta que tudo estava perdoado.

Se você está deprimido, provavelmente preferirá a história da galinha ruiva, em especial o final. Achará que justiça foi feita pelo fato de os outros animais terem ficado sem um pedaço do pão, já que nada fizeram para merecê-lo. Por outro lado, você sentiu pena do segundo filho, que cumpriu com seu dever e não saiu em busca de aventuras, embora até pudesse ter sentido vontade. Não é justo que o primeiro filho, que se comportou de maneira totalmente irresponsável, seja perdoado como se nada tivesse acontecido.

Essa experiência ilustra a primeira das seis falsas crenças, que são:

1. **A crença de que a bondade é recompensada**. Se fizer seu dever, de cabeça baixa, sem olhar para os

92 *Depressão*

lados, receberá sua recompensa. Você se sairá melhor do que quem desperdiça suas energias com coisas prazerosas em vez de se dedicar ao trabalho etc.

Isso é uma falácia. Se espera que isso seja verdade, ficará desapontado. Se você faz algo apenas pelo sentido de dever, terminará desiludido e amargurado, porque nesta vida nem sempre a bondade é premiada. Quando faz alguma coisa pelos outros, tem de ser porque quer fazer — por amor, por dinheiro, em troca de alguma coisa que elas fizeram por você, porque você gosta disso, porque quer, porque tem de fazer —, mas nunca apenas porque acha que deve. As pessoas que passam suas vidas fazendo coisas que acham que deviam fazer — por nenhuma razão melhor do que essa — acabam deprimidas quando compreendem o que perderam.

2. **A crença de que você vale menos do que os outros**. Você deve colocar os outros na frente ou é considerado um egoísta.

Esta crença é instilada em muitas pessoas na infância. Esse é o problema do segundo filho na história do filho pródigo. O problema é que, depois que entra no papel da pessoa que os outros deixam para arrumar as coisas e levar a carga, nem sempre você consegue sair disso. Isso leva ao ressentimento, freqüentemente contra aqueles que apenas deixaram você fazer o que parecia querer fazer — ficar em volta deles.

3. **A crença de que é ruim ficar com raiva**. Esta crença se relaciona com as outras duas. Você tende a sentir que realmente não tem o direito de mostrar raiva ou insatisfação. Sempre pode achar uma desculpa para a outra pessoa. Se mostrar seus sentimentos verdadeiros, as pessoas não gostarão de você, ou, pior, ficarão ofendidas.

O *que você pode fazer para se ajudar* 93

Essas três falsas crenças estão presentes mesmo antes de a depressão chegar. Elas constituem a abordagem de vida típica dos que são propensos à depressão. Quando essas pessoas realmente ficam deprimidas, outras falsas crenças aparecem. Ei-las.

4. **A crença no "tudo ou nada".** Você pensa em coisas como "A menos que eu possa fazer tudo, não faz sentido me preocupar com nada", ou "Estraguei minha dieta hoje, então posso aproveitar o máximo que puder e começar de novo amanhã".

5. **Uma tendência para exagerar.** Você diz coisas como "Nunca vou conseguir me livrar disso, ninguém se importa com o que eu penso, nada de bom acontece comigo etc".

6. **Incapacidade de aceitar coisas que as pessoas fazem por você.** Você tem em mente coisas do tipo: "Eles estão dizendo isso só para que eu me sinta melhor, mas não é verdade", ou "Eles só querem que eu vá com eles para ficar tomando conta de suas compras".

Em outras palavras, a pessoa deprimida é incapaz de acreditar que alguém pode realmente se importar com ela, ou fazer alguma coisa boa para ela, a menos que haja um motivo oculto. E é incapaz de acreditar que merece alguma coisa. Nada espera de si mesma; se consegue alguma coisa, é por engano ou armação. Se as pessoas são gentis com ela ou fazem alguma coisa por ela, suspeita de segundas intenções.

Em vista disso, é fácil ver como a baixa auto-estima pode tornar alguém suscetível à depressão sob determinadas circunstâncias. Portanto, o caminho para superar a depressão está no desenvolvimento da auto-estima. No entanto, isso não pode ser feito enquanto a pessoa ainda estiver muito deprimida, porque ela não aceitará tais idéias como possíveis. Primeiro, ela tem de sair um pouco da depressão para que possa fazer algum progresso.

94   *Depressão*

A saída muitas vezes está na raiva. De repente o deprimido começa a perceber como foi colocado para baixo e direciona sua raiva para aqueles que o puseram nessa posição. Essa raiva e o ressentimento podem ser tratados mais tarde — as pessoas realmente confiantes assumem total responsabilidade por si mesmas, e se foram colocadas para baixo por outros, é porque o permitiram.

Assim, no final, você tem que aceitar o controle por tudo que *você* faz e sente, porque é a única pessoa que pode controlar seus próprios pensamentos. E, como já vimos, são os nossos pensamentos que controlam nossos destinos, e não o que acontece em nossa vida.

RELIGIÃO

Devo discorrer brevemente sobre a religião e como alguns dos ensinamentos de muitas religiões podem entrar em conflito com o que venho dizendo. Muitas religiões ensinam que é bom colocar o bem dos outros acima da própria felicidade, que temos de ser altruístas. Eu não questiono isso. É mais fácil se sentir feliz e contente quando não se deseja coisas, especialmente as materiais.

A questão é que a pessoa tem que fazer essas coisas a partir de um sentido genuíno de devoção, e não simplesmente porque lhe ensinaram que isso é o que deveria ser feito, e tampouco se sentir culpada quando não fizer. As pessoas que se comportam de maneira altruísta porque costumam ficar contentes com isso são os verdadeiros devotos. Essas pessoas não se sentem empurradas para duas direções, indecisas entre o que realmente gostariam de fazer e ser e o que foram ensinadas a achar que deveriam fazer e ser.

A mensagem deste livro é: seja você mesmo antes de tudo, e só então poderá ser útil aos outros. As pessoas que não estão seguras de si mesmas serão ameaçadas psicolo-

O que você pode fazer para se ajudar   95

gicamente pelos desejos e as carências dos outros e gastarão todas as suas energias lutando pela própria sobrevivência.

ESCAPANDO

Já mencionei que as pessoas deprimidas têm que ficar menos deprimidas antes de poder trabalhar no desenvolvimento de sua auto-estima. Há maneiras para ajudar você a começar a mudar. O objetivo é desenvolver uma consciência do que você realmente gosta, como você realmente sente, o que você realmente valoriza. Para poder fazer isso, permita-se liberar seus pensamentos e sentimentos. A seguir você encontra alguns exercícios simples que podem ajudá-lo.

- O ingrediente mais importante para começar a melhorar é a esperança. Sem esperança, nada é possível, todas as avenidas estão fechadas. Mas o que é esperança?

  É a possibilidade da incerteza, de não saber exatamente o que esperar, de se permitir considerar a possibilidade de que as coisas podem não sair exatamente como você imagina. A esperança é uma grande aventura. Se o futuro fosse certo, se tudo já estivesse mapeado, não haveria incertezas. Se tudo fosse certo, o que poderíamos esperar? Ter esperança de que alguma coisa aconteça implica o risco de que isso possa ou não acontecer. Portanto, não espere que tudo esteja já estabelecido, terminado. Permita que as possibilidades existam. Permita a você mesmo ter esperança.

- Abandone a mídia por um tempo — não leia jornais nem assista aos telejornais. Já se comprovou que notícias ruins na tevê e nos jornais pioram o estado das pessoas ansiosas e deprimidas. Dê a si mesmo um descanso, evite as notícias. Afinal, saber não vai mudar nada. Faça a você mesmo esse favor por uns tempos e mude de canal.

96   *Depressão*

É provável que nossa insistência em transmitir as notícias ruins de cada canto do mundo em todos os momentos seja um dos fatores que inserem o estresse em nossas vidas. Antes que se tornasse possível a circulação maciça dessas notícias, as pessoas só podiam se preocupar com seu pequeno canto no universo. Atualmente, não apenas temos que agüentar nossos problemas, como também o dos outros. E aquelas pessoas que estão psicologicamente vulneráveis, isto é, já estressadas e deprimidas, são as mais afetadas. Um descanso, de tempos em tempos, é bom. Se você já esteve em outro país, sabe como é maravilhoso estar totalmente por fora dos desastres do resto do mundo. Dê-se esse prazer e mude o canal com mais freqüência.

- Dê-se o prazer de ativar mais o lado direito do cérebro. Permita-se mergulhar em alguma coisa criativa. É surpreendente como poucas pessoas fazem coisas criativas. Sempre estamos analisando, organizando as coisas, obedecendo a horários — ações que usam o lado esquerdo do cérebro. O lado direito, o lado criativo, intuitivo, o lado do sentimento, também precisa de exercícios.

A atividade criativa pode ser de qualquer natureza: cozinhar — desde que você curta e esteja criando e experimentando —, costurar, bordar, pintar, decorar, cuidar do jardim, tocar um instrumento, dançar, velejar, andar a cavalo, escrever histórias, poemas ou cartas. O importante é tentar não pensar, apenas sentir, apenas deixar seu corpo desfrutar o prazer da atividade sem julgar seu desempenho. É o fazer que é importante — não fazer bem-feito.

- Faça exercícios físicos. Sabe-se que a atividade física regular de qualquer tipo, desde que se aprecie sua prática, é benéfica para a pessoa como um todo. Afinal, na origem, fomos feitos para sermos fisicamente ativos.

O *que você pode fazer para se ajudar*   97

Se você não está acostumado a praticar uma atividade física, comece fazendo uma pequena caminhada todo dia, e desfrute — inspire o ar, ouça os sons diferentes, observe as cores. No começo, talvez você tenha que se esforçar para fazer essas coisas, mas depois de um tempo começará a curtir mais o que existe ao seu redor.

- Mantenha um diário com o que você conseguiu a cada dia. Não registre nele nem aspectos nem pensamentos negativos. Anote os novos cheiros e paisagens, as novas experiências de qualquer tipo. Anote tudo o que fizer durante o dia, por mais insignificante que seja — o que leu de interessante, e por que, o que você fez ou sentiu de interessante, e por quê. Mas atenção: nada de mencionar sentimentos desagradáveis!

- Faça uma lista das coisas que deve fazer diariamente e marque-as à medida que as concluir — isso lhe dará um sentimento de realização. Se pensar em alguma coisa agradável e prazerosa que preferiria fazer no lugar de alguma tarefa, então faça e a desfrute — e depois escreva sobre isso.

- Cuide de alguma coisa ou de alguém que precisa de você. Por exemplo, plante alguma semente no jardim, cuide dela e veja-a crescer; cuide do cachorro do vizinho; passe algum tempo ajudando alguém porque você *quer* e não porque deveria ou sente que deveria.

- Encontre alguém para escutar. Você precisa falar para poder entender, por si mesmo, o que realmente quer. Precisa de um confidente a quem possa expressar suas idéias — alguém que escute mas não julgue. E deve ser alguém que não esteja envolvido nas causas de sua depressão — talvez um bom amigo em que possa confiar. Se não conhecer ninguém, procure um psicólogo ou conselheiro.

- Ria. Mesmo quando apenas faz a menção de rir, seu corpo produz químicas que fazem você se sentir me-

98   *Depressão*

lhor. Assista a filmes ou programas de tevê agradáveis. Escute piadas.

- Transforme a escuridão em luz. Faça uma lista de todos os incidentes negativos em sua vida dos quais você se lembra; por exemplo, um exame em que não se saiu bem, uma queda que teve, qualquer incidente que lhe traga más lembranças.

Agora, retire um dos incidentes da lista e reescreva-o empregando termos neutros — escreva apenas o que aconteceu, sem julgamentos nem sentimentos, apenas uma descrição do incidente como se visto por um observador que não sabe de nada, como se você o observasse com os olhos de um transeunte.

Por exemplo, se o incidente foi a queda de um pônei, você pode escrever:

Uma menina de vestido azul foi colocada em cima do pônei por seu proprietário. O pônei foi levado para a praia. De repente, uma bola bateu no nariz do pônei e ele pulou. A menina caiu e foi parar na areia com a saia sobre sua cabeça.

Agora esqueça a raiva e o constrangimento que o incidente causou e reescreva-o, deixando de lado tudo o que faça você se sentir mal; concentre-se só nos aspectos bons do incidente — aqueles aspectos que você nem percebeu porque sua mente estava concentrada nos negativos. Por exemplo:

Lembro-me do nariz do pônei, macio como veludo. Lembro-me de me sentir muito feliz ao balançar nas costas dele pela areia, fingindo ser uma atriz de cinema. Depois, quando caí, a areia estava fofa e macia e eu me afundei nela.

A próxima coisa a fazer é ler essa versão todo dia e imaginar a cena tão vividamente quanto consiga. Tente recordar todos os aspectos positivos, o cheiro do mar, a alegria, como o sol tocava seus braços nus etc. Se você souber fazer exercícios de relaxamento, será ainda melhor se puder fazer essa visualização enquanto estiver relaxando. Ou pode deitar-se na banheira com água quente, fechar os olhos, relaxar e fazer a visualização.

Repita esse exercício até sentir que já fez o suficiente, e o lado positivo aparecer facilmente. Então, passe para o próximo incidente da sua lista e faça novamente o exercício, reescrevendo a cena de maneira neutra, depois positivamente e por fim visualizando a cena positiva.

Quanto aos aspectos negativos de sua vida presentes todos os dias, pergunte a si mesmo se realmente você tem que tê-los. Se não, renuncie a eles. Se tiver que agüentá-los — você pode, por exemplo, ter um trabalho que acha chato, mas que não pode se dar ao luxo de largar —, considere um desafio achar elementos positivos nos quais se concentrar. Nada há a ganhar quando temos que fazer uma coisa de que não gostamos e ficar dizendo o tempo todo o quanto detestamos aquilo e como queríamos estar fazendo outra coisa. Isso é resistência e muita resistência pode levar à ansiedade e à depressão. Pratique aceitar o que você precisa fazer enquanto focaliza sua energia em alguma coisa que lhe dê prazer.

Por exemplo, se você detesta fazer tabelas de resultados, veja se consegue bolar uma maneira de fazê-las o mais eficiente e rapidamente possível. Isso pelo menos constituirá um desafio mental mais interessante e lhe dará alguma coisa positiva no final — seu próprio desempenho. Se tem de cumprir tarefas repetitivas que não requerem muita concentração — fazer as camas em um hotel, por exemplo —, imagine que está limpando os quartos de pessoas famosas e veja se consegue fingir que elas realmente estão lá.

Use o poder de sua imaginação para ajudá-lo a passar pelas partes tediosas da vida.

- Seja paciente. A menos que você saiba por que está deprimido e possa começar a planejar fazer alguma coisa quanto a isso, vá devagar. Permita-se ficar contente com o que faz à medida que for fazendo. Passe uma parte de cada dia fingindo que está feliz. Com isso quero sugerir que seja como um ator e finja que está interpretando o papel de alguém feliz. Tente fazer com que você realmente *seja* esse personagem.

Isso pode parecer uma bobagem, mas funciona. Realmente acabamos sendo o que fingimos ser. Já se descobriu que necessariamente não é ter muitas coisas negativas que nos põe para baixo, mas não ter suficientes coisas positivas.

Portanto, desfrute cada momento o máximo que puder. Focalize seus pensamentos em pequenas coisas positivas. Escute sua música favorita, tome banhos de espuma, coma alguma coisa deliciosa. Nada há de errado em sentir prazer, se você não causar mal a ninguém com eles.

Não deixe sua mente correr à frente do tempo para o "e se..."; não focalize suas energias no que passou e no "se eu tivesse feito...".

Uma coisa sobre a depressão é que parece que ela acaba passando por conta própria, mesmo se você nada fez a respeito. Se fizer, ela passa mais rápido.

Pode ser difícil superar a depressão se você estiver só, portanto não receie em procurar a ajuda de profissionais, se precisar. Você também deve saber que, à medida que se sente melhor e reencontra sua auto-estima, talvez comece a perceber que algumas pessoas a quem você ama não estão muito contentes com suas mudanças. Mas isso já será um problema delas.

CAPÍTULO 10

Relacionamentos e depressão

Um bom relacionamento, no qual os envolvidos aceitam um ao outro como são e se apóiam mutuamente quando necessário, pode ajudar a prevenir a depressão. Um relacionamento ruim, por sua vez, pode causá-la.

As pessoas cujas esperanças, expectativas e aspirações são constantemente frustradas estão em grande perigo. E relacionamentos nos quais uma das partes é muito mais dominante que a outra, levando o parceiro a acreditar que deve se comportar de determinada maneira, podem ser muito prejudiciais. O parceiro não dominante freqüentemente quer o apoio do outro, tenta atender às expectativas do dominante e sente-se incapaz quando não consegue.

A seguir encontram-se exemplos de vários tipos de relacionamentos que são prejudiciais nesse aspecto.

Shona era filha de um embaixador de um país africano. Ela foi para a Inglaterra estudar direito. Em casa, era a favorita do pai, que sempre esperou grandes realizações da parte dela. Na Inglaterra, no entanto, Shona encontrou uma cultura diferente, o clima e uma série de preconceitos raciais difíceis de enfrentar. Sentiu-se para baixo. Seus estudos sofreram porque, aos poucos, ela foi perdendo a capacidade de se motivar. Um dia, recebeu uma última cobrança da companhia de eletricidade comunicando que ela não tinha pago a conta e que iriam suspender o fornecimento.

102   *Depressão*

Shona tinha se esquecido da conta. Também estava sem dinheiro. Sentiu-se tão culpada e tão fracassada que não pôde pedir dinheiro ao pai, mesmo sabendo que ele daria. Era demais e ela tentou se matar.

O que aconteceu com Shona foi que pouco a pouco ela deixou sua auto-estima se esvair. Depois, sem ela, sentiu-se indigna.

Em um relacionamento perfeito, cada pessoa começa verdadeiramente como se pretendesse de fato levá-lo adiante. Na grande maioria dos relacionamentos, no entanto, começamos com inverdades e continuamos com elas. Se você estiver gostando de alguém, pode esconder aqueles seus aspectos que acha que podem desagradar — você quer apresentar seu melhor comportamento. A outra pessoa, contudo, tende a acreditar que você é mesmo assim e espera que aquele comportamento continue. Quando isso não acontece — já que foi, em primeiro lugar, um tipo de falsa decisão e exigiu um esforço grande para se manter por algum tempo —, a outra pessoa se desencanta e reclama, dizendo que você mudou. Na verdade, você simplesmente assumiu o seu verdadeiro eu.

Em muitos relacionamentos, o verdadeiro eu é aceito e a vida continua — embora um pouquinho menos mágica do que antes. Em outros, no entanto, a pessoa receia revelar seu verdadeiro eu, ou o outro se recusa a aceitá-lo, e a vida continua uma mentira. Esse é o terreno propício para o desastre. O elástico está envolvido numa forma falsa, e fica cada vez mais difícil mantê-lo aí.

Existem dois tipos extremos de pessoas — os que doam e os que tomam. Parece que nos tornamos assim, um ou outro tipo, na infância, quando nos acostumamos a ter as coisas do nosso jeito, com as pessoas se rendendo a nossos desejos, ou a ser sempre aquele que tem de voltar atrás, que tem que emprestar os brinquedos mesmo quando não quer fazê-lo. Os que tomam crescem dizendo o que real-

Relacionamentos e depressão 103

mente sentem e esperam que os outros reajam de acordo. Nunca duvidam que os outros farão o que eles esperam. Se isso não acontece, fazem tudo até conseguir.

Muitos relacionamentos têm tanto o doador como o tomador. O tomador é a pessoa cuja escolha é adotada quando há um desacordo. É a pessoa que o resto da família tenta não contrariar. Porém, o tomador não se dá conta disso.

Supõe que todo mundo pensa como ele. Acredita que, se alguém discordar dele, vai dizer que discorda. Os tomadores não entendem o conceito de renunciar para ter uma vida tranqüila.

Assim, quando um dia o doador decide que não agüenta mais passar as férias no campo, por exemplo, e diz, num acesso de raiva, que sempre as detestou, o tomador fica totalmente confuso e reclama: "Mas você nunca disse isso!" Os tomadores simplesmente não podem entender como alguém pode aceitar uma coisa da qual não gosta. Protestarão e dirão que eles também dão — presentes, por exemplo. Isso é verdade, mas o gesto de dar não é o que faz de uma pessoa um doador ou um tomador. Quando os tomadores compram presentes, compram o que querem que a outra pessoa tenha, não necessariamente o que aquela pessoa quer. De muitas maneiras, os tomadores são obcecados pelo controle — querem controlar não só suas próprias necessidades e sentimentos, mas também os das pessoas importantes para eles, as pessoas que dizem amar.

Os doadores, por sua vez, aprenderam desde a infância a não fazer escândalo, a renunciar para ter uma vida tranqüila. Dos dois, são os doadores que tendem a cair em depressão. Eles chegam a um estágio no qual vislumbram o que a vida poderia ser se, para variar, fizessem o que gostariam. Contudo, eles não podem mudar porque ninguém espera que se comportem assim, ninguém os leva a sério.

104 *Depressão*

O doador pode se tornar um camaleão — ou seja, mudar constantemente para se adequar às vontades dos outros. Por causa do papel que desempenham na sociedade, muitas mulheres casadas que passaram um tempo criando seus filhos tendem a se encaixar nessa categoria. Elas negam seus próprios desejos para colocar os dos filhos em primeiro lugar. Isso inevitavelmente restringe a sua liberdade pessoal, e elas negam ainda mais os seus desejos. Os esposos tendem a achar que elas não têm nenhum. Ficam tão acostumadas a ser o que os outros esperam que perdem de vista quem realmente são. Um dia percebem que parecem não existir por direito próprio. Sentem-se impotentes, sem esperança, inexistentes. Desenvolvem a depressão.

Elisabete era a mais velha de duas irmãs. Tinha três anos quando sua irmã, Cristina, nasceu e sentiu muito ciúme. Ela se ressentiu de ter de dividir os pais, seu carrinho e seu quarto com um bebê barulhento. Quando tinha cinco anos, Elisabete foi para escola. Cristina ficou em casa sozinha com a mãe, e Elisabete ficou mais chateada ainda. Ressentia-se ainda mais porque, enquanto estava na escola, Cristina podia brincar com seus brinquedos. Freqüentemente, a primeira coisa que fazia ao chegar em casa da escola era ir direto até a irmã mais nova, bater nela e destruir seja o que for com que ela estivesse brincando.

Elisabete pedia repetidamente à mãe que não deixasse Cristina brincar com seus brinquedos, mas a mãe simplesmente dizia: "Não seja egoísta, Elisabete, ela não está estragando nada".

Quando as irmãs cresceram, começaram a se relacionar melhor e a brincar juntas. Mas sempre que havia alguma diferença de opinião entre elas, era Cristina que gritava mais alto e conseguia as coisas de sua maneira. Elisabete disse mais tarde que, olhando para trás, ela desenvolveu a crença de que realmente não importava e não tinha o direito de colocar suas necessidades antes das dos outros.

Relacionamentos e depressão   **105**

Quase chegou a esperar que tudo que valorizasse seria tomado, emprestado ou levado pelos outros.

Assim, mais tarde, ela se adaptou muito facilmente à vida doméstica, colocando as necessidades de sua família em primeiro lugar, tornando-se incapaz até de reconhecer quais eram seus próprios desejos. Ninguém, nunca, considerou suas crenças e desejos seriamente, portanto ela tinha parado de falar deles, e até mesmo parado de pensar neles.

Ela desenvolveu a habilidade de ser o que os outros esperavam que ela fosse. Se ia jantar com seu esposo e amigos, obedientemente participava da conversa social. Se tinha que ir à escola dos filhos, discutia o desenvolvimento deles. Quando a família saía de férias, escolhia lugares que seu esposo e seus filhos curtiriam mais.

Elisabete se tornara uma camaleoa. Adaptava suas crenças e seu comportamento às circunstâncias, de maneira a se enquadrar perfeitamente. Mas não era ela.

Um dia, circunstâncias imprevistas fizeram com que passasse um tempo com um grupo de completos estranhos, que nada sabiam sobre ela. Para eles, Elisabete não era nem a mãe de seus filhos nem a esposa de seu marido. De repente, ela provou a liberdade de poder ser exatamente quem queria ser, de ser quem realmente era. Vislumbrou um pedaço do céu azul e já não podia voltar atrás.

Todos achamos que sabemos o que é o amor, mas poucos de nós realmente o praticamos. O amor verdadeiro permite que as pessoas sejam quem realmente são e aceitaos como são. O amor verdadeiro não tenta mudar as pessoas para que sejam como preferimos que elas sejam.

Você não pode forçar ninguém a amá-lo, não importa o quanto queira que isso aconteça. O amor tem de ser dado livremente, sem recompensas.

Amar é como ser amigo de um animal selvagem. Imagine que um dia um veado entre no seu jardim e mordisque

106 *Depressão*

suas plantas. Imagine que você ache bom ele estar ali e queira fazer com que continue a freqüentar seu jardim. O que você faria? Poderia arrumar uma armadilha e prendê-lo. O veado seria forçado a ficar no seu jardim, mas não ficaria feliz. Perderia suas tendências naturais e provavelmente ficaria apático e desinteressado.

Ele talvez coma a comida que você lhe dá, e talvez se acostume com você e já não sinta medo. Mas, se alguma vez você deixar o portão do jardim aberto, ele vai preferir fugir. Não importa o quanto você seja gentil, ele ainda vai preferir se arriscar na mata e fazer suas próprias escolhas do que viver sua vida no cativeiro. Ou, ao contrário, ele pode se tornar tão dependente de você que acabará perdendo sua natureza selvagem e seu desejo de viver em liberdade. Ficará ao seu lado como um dependente sem alma.

Se, no entanto, quando o veado entrar pela primeira vez em seu jardim, você não tentar prendê-lo, e simplesmente lhe oferecer comida, ele pode aceitar. Talvez vá embora e nunca mais volte. Ou talvez volte para ver se você lhe dá mais comida. Ele pode continuar voltando por vontade própria.

O veado que tem a liberdade de ir e vir é como o amor. O amor tem que ser dado livremente, sem nenhuma expectativa de recompensa. O amor verdadeiro significa desejar para a pessoa amada o que ela quer para si mesma. Amar não é prender a pessoa amada com você porque ela tem medo de sair. Amar não é mudar a pessoa para que seja do jeito que você quer que ela seja. Amar é deixar a pessoa amada ser o que ela quer ser e aceitá-la assim. Amar verdadeiramente alguém é a coisa mais difícil do mundo.

A importância do amor neste contexto é que muitas pessoas deprimidas ficam emocionalmente prisioneiras porque não suportariam magoar aqueles a quem amam. Assim, elas ficam presas a uma situação sem saída, negando

Relacionamentos e depressão 107

a si mesmas ou magoando a quem amam. Elas escolhem a primeira opção.

Essa auto-renúncia, porém, pode tornar-se muito grande e causar depressão profunda. Isso aconteceu com Elisabete que, depois de compreender que queria se livrar de sua prisão, não foi capaz de fazer isso para não magoar as pessoas que amava, as pessoas que diziam amá-la, mas que a viam como uma pessoa muito diferente do que ela realmente era por dentro.

Muitas vezes as pessoas deprimidas escutam seus íntimos lhe dizerem: "Só quero o seu bem, faça como você quiser". O problema é que eles realmente querem dizer: "Faça como você quiser, mas com outras pessoas, não comigo". As pessoas mais íntimas podem ser muito resistentes às mudanças daqueles cujo comportamento supõem conhecer.

Catarina era uma jovem e confiante bailarina antes de se casar com Alex, um professor. Quando sua filha nasceu, ela começou a dar aulas de balé. E continuou a dar aulas mesmo depois do nascimento de seu segundo filho, alguns anos mais tarde.

Com o passar dos anos, no entanto, Alex aos poucos a foi minando. Criticava-a por pequenas coisas — por que a geléia acabou, onde estavam suas camisas não manchadas, por que ela não fazia uma comida indiana, para variar? Também era bastante crítico quanto à filha, e nada do que ela fazia era digno de elogio. Em vez disso, ele lhe perguntava por que não havia se esforçado um pouco mais e tirado o primeiro lugar na escola em vez do terceiro.

Quando saíam de férias, Catarina sentia-se esgotada porque Alex parecia sempre esperar que ela soubesse as respostas para tudo e que estivesse preparada para todas as eventualidades. Invariavelmente, voltava exausta pelo constante estresse de ser criticada o tempo todo, todos os dias. Também estava preocupada com o efeito que isso

108 *Depressão*

estava tendo em sua filha, que estava ficando ansiosa e retraída.

Catarina acabou ficando deprimida. Contou a Alex o que realmente sentira durante todos aqueles anos, e ele disse que mudaria. Nada aconteceu, porém. Ela sugeriu que procurassem um aconselhamento matrimonial, mas Alex continuamente dava desculpas para não ir às sessões. Um dia ela pegou as crianças e se mudou.

Com isso, Alex ficou desesperado e implorou a ela que voltasse, prometendo que mudaria. Catarina recusou. Então os dois filhos começaram a perguntar pelo pai — aparentemente ele os pressionava quando ficava com eles, dizendo como estava triste e como sentia falta de todos.

Catarina, afinal, sucumbiu e voltou atrás, só para descobrir que nada tinha mudado, absolutamente. A essa altura ela estava em uma situação para a qual não conseguia mais ver uma saída. Queria deixar Alex, mas as crianças a faziam se sentir culpada. Ela não poderia deixar os filhos com ele por temer o efeito de suas críticas infindáveis sobre eles.

Como Alex não queria freqüentar as sessões de aconselhamento, Catarina ia sozinha. Durante alguns meses, ela desenvolveu sua auto-estima. Quando começou a enfrentar Alex e suas críticas, ele lhe dizia: "Essa não é você!"

Essa é uma revelação involuntária. Quando alguém lhe diz isso, o que realmente quer dizer é: "Eu não espero que você se comporte assim, eu quero que você se comporte segundo minha expectativa". Esse comentário é sempre um bom sinal de que você está sendo um pessoa verdadeira, não apenas o brinquedo que o outro se acostumou a manipular para seus próprios fins.

A verdade é que, falando de maneira geral, quanto mais você se entrega aos outros, especialmente se faz isso esperando que, em troca, gostem de você, e não porque *quer* fazer isso, tanto menos eles pensarão em você e tanto mais exigirão de você. Você acabará se sentindo usado e deprimido. Se evitar brigas e optar por uma vida tranqüila, acabará sendo o esteio de alguém, uma pessoa de quem não se espera que tenha seus próprios desejos e carências — o que está ótimo, desde que você realmente não os tenha!

Eu não estou advogando em prol do egoísmo total; apenas acho que os doadores deste mundo deveriam se tornar mais conscientes do que estão dando, de quanto renunciam, e por que o fazem. É perfeitamente certo *escolher* renunciar. Mas quando age automaticamente, contra seus próprios interesses, porque tem medo de encarar as conseqüências se não fizer o que se espera de você, isso se torna perigoso.

No final, Catarina mudou-se com as crianças e deixou Alex definitivamente.

Bárbara, uma conferencista, descobriu que seu esposo John, um advogado, tornou-se mais gentil e mais atento quando ela sofreu uma crise grave de depressão. Odiando-se por estar sendo patética e dependente, Bárbara esperava que ele também ficasse irritado com ela. O que acontecia era que, apesar de sempre dizer que era a favor de mulheres independentes, John realmente não era. Seus pais tinham um casamento tradicional de classe média, sua mãe ficava em casa cozinhando, enquanto seu pai seguia sua carreira. O pai controlava as finanças e dava à esposa o dinheiro para as despesas da casa e uma mesada para roupas — para ser gasta fazendo-se atraente para ele.

Como Catarina, a depressão de Bárbara se originou do fato de ter sido induzida, por anos, a se sentir culpada por não ser uma mãe e esposa perfeitas. Ela criou dois filhos enquanto continuava a trabalhar — um trabalho de meio período quando eles eram pequenos. John nunca fez nenhuma tarefa doméstica nem assumiu nenhuma responsabilidade

110   *Depressão*

na criação dos filhos. Sua carreira tinha que estar em primeiro lugar, e ele trabalhava muitas horas.

Assim que se sentiu melhor, Bárbara perdeu seu complexo de culpa e começou a desafiar a reprovação disfarçada de John, e ele ficou menos gentil. No final, a deixou por uma mulher mais jovem que era louca por ele, a qual, ele acreditava, podia moldar para ser sua Esposa Ideal.

Não são apenas as mulheres que sofrem dessa maneira. Essas dificuldades também afetam os homens, como mencionamos no capítulo 3. Os homens freqüentemente ficam confusos. Vivem de acordo com o que lhes foi ensinado e depois vêem que as mulheres se ressentem com seus esforços. Um dos principais motivos para isso é que muitos dos homens de hoje aprenderam a tratar as mulheres com seus pais, ou copiaram os exemplos dos pais. O problema é que a sociedade mudou rapidamente nesse aspecto, desde a década de 60. As mulheres atuais não querem ser tratadas como suas mães o foram. Em muitos casos, consideram isso insultante e resistem ferozmente.

Muitos homens ficam totalmente perplexos quanto à maneira como devem se comportar em relação ao que, para eles, é uma das áreas mais importantes de suas vidas — a habilidade de atrair e manter uma companheira. Em um nível muito básico, o macho de virtualmente todas as espécies tem a procriação como objetivo principal. É a razão para a sua existência. Para as fêmeas de muitas espécies, entretanto, assim que ficam grávidas, os machos se tornam insignificantes e são desprezados. A fêmea fica concentrada unicamente em proteger sua cria.

A vida dos seres humanos é muito mais complexa do que isso. Entretanto, nossos instintos mais primitivos ainda estão presentes e entram em ação para garantir a sobrevivência da espécie sempre que nossos níveis mais elevados de pensamento ou comportamento a ameaçam.

Relacionamentos e depressão   111

Quando nos tornamos inseguros de nós mesmos, ficamos ansiosos no que diz respeito à situações que normalmente conseguiríamos enfrentar bem. Preocupamo-nos com as mudanças e queremos permanecer apegados aos antigos modelos e à rotina. Quando sentem que estão fracassando em seus relacionamentos pessoais e em sua habilidade de atrair e manter uma companhia feminina, os homens tendem a ficar deprimidos e ansiosos porque seus instintos básicos estão sendo prejudicados.

Freqüentemente percebo uma estranha contradição quando discuto a fidelidade sexual com os homens. Muitos confessam que secretamente gostariam de fazer sexo com uma estranha atraente, sem envolvimento emocional, por uma noite apenas. Mesmo homens com relacionamentos estáveis admitem esse desejo, ainda que provavelmente nunca se submetam a ele. Quando questionados, no entanto, por que sua esposa ou companheira não poderia fazer o mesmo, eles fazem comentários como: "Por que ela iria querer outro? Eu não sou bom o suficiente?"

Robert recentemente se separou de sua mulher, com quem estava casado há quinze anos. Eles não tinham filhos e perceberam que já não tinham os mesmos objetivos na vida, portanto concluíram que seria melhor separar seus caminhos.

Robert então dizia que só queria relacionamentos casuais, sem vínculos, mas acabou se envolvendo com duas mulheres diferentes, sucessivamente, e as duas acabaram rompendo o relacionamento porque ele era demasiado possessivo e controlador.

Sua segunda namorada, Júlia, era mãe solteira. Morava com os pais e trabalhava o dia todo para sustentar a si mesma e à filha. Raramente saía de casa à noite, preferia ficar em casa e descansar. Nos finais de semana, queria passar o tempo com a filha.

112   *Depressão*

Robert se preocupava com a falta de vida social de Júlia e tentava fazê-la sair mais de casa. Ele também queria sair com as duas, a mãe e a filha, nos finais de semana e ficava muito contrariado quando Julia resistia a seus planos.

Tentei explicar a Robert que Julia tinha o direito de viver sua vida como preferia e não necessariamente tinha que compartilhar suas idéias sobre o que era mais divertido. Ele contra-argumentava com comentários do tipo: "Eu só queria que ela se divertisse mais".

Essa atitude estava profundamente entranhada em Robert em face da maneira como ele via o casamento de seus pais e de como via o papel tradicional do homem — cuidar da esposa e fazê-la se divertir. Júlia, porém, era uma "nova mulher" e preferia cuidar de si mesma.

Robert começou a ficar deprimido porque estava se comportando exatamente da maneira como fora criado, mas isso estava levando seus relacionamentos ao fracasso. Para superar isso, ele teria que passar por uma grande mudança em suas atitudes em relação às mulheres e seu papel na sociedade, se quisesse realmente ter algum relacionamento sólido com o tipo de mulher que parecia preferir. Um relacionamento com um tipo mais tradicional de mulher poderia dar certo, mas Robert preferia mulheres fortes e independentes!

De modo geral, portanto, parece que vários tipos de dificuldades nos relacionamentos contribuem para o desenvolvimento de muitas doenças depressivas. Todos deveríamos ter muito mais consciência do que esperamos um do outro e do que devemos esperar. Um relacionamento saudável dá apoio e permite a cada parceiro ser a pessoa que deseja ser e a aceita como é.

CAPÍTULO 11

É possível evitar a depressão?

Até que possamos descobrir com certeza quais mudanças químicas ocorrem quando alguém fica deprimido, bem como o que as provoca, não poderemos nem começar a pensar se é possível ou não evitar a depressão. Assim como existe uma tendência à ansiedade, parece que algumas pessoas estão mais inclinadas que outras a se tornarem deprimidas. No entanto, não podemos dizer que alguém realmente evitou a depressão até sermos capazes de expor as pessoas ao que causa o transtorno depressivo e observarmos suas mentes e corpos resistirem em conseqüência de algum tipo de ação preventiva. De qualquer maneira, se examinarmos o que as pessoas deprimidas consideram as causas de sua doença, talvez possamos ter alguma orientação quanto às possíveis medidas preventivas.

O PENSAMENTO

Já sabemos que duas pessoas podem passar por experiências idênticas e uma pode ficar deprimida e a outra não. A única diferença entre elas é a maneira como pensam a respeito do que lhes aconteceu e como isso as afeta.

Nosso modo de pensar afeta o modo como nosso corpo se comporta e isso, por sua vez, influencia nossos sentimentos. O melhor exemplo é o caso do medo. O gatilho do medo é um pensamento. Quando deparamos com algo de

114 *Depressão*

que temos medo, pensamos coisas do tipo: "Oh, não gosto disso! E se eu me machucar?" Essa mensagem de medo é processada pelo cérebro que faz o coração bater mais rápido, drena sangue da superfície da pele para os músculos e órgãos mais essenciais, e geralmente prepara o corpo para a fuga. Portanto, desenvolvemos sintomas físicos como conseqüência direta do que pensamos. Igualmente, é provável que algumas maneiras de pensar façam alguém se sentir deprimido. A mudança, no entanto, é mais vagarosa e menos dramática do que no caso do medo.

Muitos de nós fracassamos em cumprir nossas aspirações, sem falar nas aspirações que os outros têm em relação a nós. Se constantemente mantemos uma conta mental sobre esses "fracassos", então estamos juntando munição para a depressão.

O que temos de aprender é a *aceitar*. Temos de nos aceitar da maneira como somos. Podemos nos esforçar ao máximo para melhorar, mas não devemos dar demasiada importância a isso. Não há nada de errado em ousar tentar alguma coisa e não ser bem-sucedido — desde que a pessoa considere isso uma experiência e siga em frente. O passado é para que se aprenda com ele; depois temos que esquecê-lo. Muito freqüentemente tentamos manter toda a nossa carga no presente.

Há uma história sobre dois monges que estavam caminhando. Eles chegaram a um pequeno rio, em cuja margem havia uma mulher muito bonita usando um biquíni bem cavado. A mulher estava chorando porque havia correntezas no rio e ela estava com medo de atravessá-lo. Um dos monges disse que ela podia subir em suas costas que ele a levaria. Quando chegaram à outra margem, os dois monges se despediram da mulher e seguiram seu caminho. Muitos quilômetros e várias horas depois, o segundo monge virou-se para seu galante companheiro e insinuou:

É possível evitar a depressão? 115

"Tenho certeza de que você cometeu vários pecados lá atrás, irmão".

O primeiro monge sorriu. "Eu deixei aquela mulher lá atrás, na margem do rio", ele disse. "É uma pena que você não tenha conseguido fazer o mesmo."

A moral dessa história é que não importa se o que aconteceu foi bom ou mau; está dentro de cada um o poder de deixar para trás o que já não traz nenhum prazer ou benefício. Poucos de nós conseguem realmente viver no presente, curtindo cada momento que estamos vivendo. Repetidas vezes nossos pensamentos ou estão no futuro, preocupando-se a respeito do que pode acontecer, ou presos no passado na culpa ou remorso sobre algo que já não pode ser mudado. Nenhum de nós tem o poder de mudar nada do que já aconteceu. O que todos nós, no entanto, realmente temos é o poder de mudar o que pensamos ou como nos lembramos do que já passou.

Pesquisas recentes indicam que precisamos desenvolver nosso lado criativo, imaginativo. Lembre-se da última vez em que leu um romance — sua mente não elaborava constantemente figuras sobre o que estava acontecendo à medida que você o lia? Pode acontecer que, no futuro, venha a ser descoberto que a obsessão que se tem nos dias de hoje de apresentar tudo em vídeo, seja prejudicial a longo prazo porque já não nos permite usar uma habilidade totalmente individual e criativa, conhecida como visualização.

Já se provou que a visualização é uma ferramenta poderosa para ajudar as pessoas a combater várias doenças. Atualmente acredita-se que nossa capacidade de visualizar em nossa mente as defesas do nosso corpo se reunindo e vencendo tumores, por exemplo, pode ser o gatilho que as faz realmente assumir essa função e nos curar. Em conseqüência, nossa mente influencia nosso corpo!

Recentemente, li sobre uma experiência que envolvia um grupo de pessoas que estavam em um hospital com

116   *Depressão*

úlceras abertas. Elas tomaram uma injeção — foi dito a elas — de um "novo remédio experimental", que poderia ou não salvá-las. A injeção, na verdade, era de água estéril. Setenta por cento acreditou na cura e melhorou notavelmente. Um ano depois, ainda estavam "curadas".

As pessoas que têm a mente mais aberta e que estão mais preparadas para usar a imaginação e aceitar possibilidades para as quais não vêem razões científicas válidas são as mais bem-sucedidas na tentativa de desencadear a habilidade do corpo de se autocurar. As que não estão preparadas para aceitar tais possibilidades até que tudo tenha sido cientificamente provado não são muito eficazes na tentativa de atrair curas "milagrosas" para si mesmas.

MEMÓRIA DEPENDENTE DO ESTADO

Já foi comprovado que nos lembramos de incidentes de acordo com a maneira como nos sentimos no momento de sua ocorrência. Isso se chama memória dependente do estado, e significa que não nos lembramos do passado em termos neutros, levando em conta ambos os lados de cada situação. Ao contrário, nos lembramos do passado conforme nos tenhamos sentido bem ou mal e o estado emocional em que nos encontrávamos. Somos menos capazes de recordar incidentes que não envolveram nenhum tipo de emoção forte. Similarmente, depois que o incidente foi associado com um determinado sentimento, tendemos a nos sentir da mesma maneira a respeito de incidentes semelhantes. Assim, se você sentiu náuseas quando foi almoçar com a tia Mary, são grandes as chances de se sentir indisposto numa próxima vez. Se você se apaixonou nas férias na Grécia, sempre terá uma queda pelo lugar, a menos que tenha voltado lá e tido uma experiência ruim, caso em que suas lembranças anteriores serão destruídas.

É possível evitar a depressão? 117

A regra, portanto, é tentar e se permitir ver alguma coisa positiva em tudo, mentalmente classificando as situações novas e diferentes como "excitantes" em vez de "ameaçadoras". É isso que as pessoas que parecem ser capazes de enfrentar a vida e tudo o que ela lhes traz são capazes de fazer. Se você encontrar alguma coisa positiva até nas piores coisas que acontecem com você, então você conseguiu!

ACEITAÇÃO

Nós temos o poder de controlar apenas nossos próprios pensamento e ações. Não importa o quanto tentemos controlar os outros — não podemos. Se tentamos agir assim, as pessoas não se aproximarão, ou cederão aos nossos pedidos mas secretamente ficarão ressentidas conosco. Já abordamos isso no capítulo 8. Devemos aceitar as pessoas como elas são; depende delas mudarem a si mesmas, se quiserem. Ninguém tem o direito de controlar ninguém. A única exceção possível é o direito dos pais de controlar uma criança até que ela seja capaz de cuidar de si mesma.

EGOÍSTA OU AUTOCONFIANTE?

Egoístas são aqueles que colocam a si mesmos em primeiro lugar e esperam que os outros renunciem a seus próprios desejos em favor dos desejos deles. Ser egoísta é também ser auto-obcecado, preocupar-se com o modo como tudo afeta a si mesmo o tempo todo.

Em contraste, as pessoas autoconfiantes sabem quem são. Sabem que ninguém pode mudá-las nem a maneira como são, a menos que elas queiram que isso aconteça. Trata-se de algo que sempre tenho que explicar aos pacientes que procuram ajuda. Algumas pessoas esperam

118   *Depressão*

que o terapeuta seja capaz de balançar uma varinha de condão para fazer seus problemas desaparecerem. Então, culpam o terapeuta quando a mágica não funciona. Portanto, sempre fiz questão de explicar que, embora possa oferecer orientação e estímulo, eu realmente não posso mudar a maneira como as pessoas pensam — elas têm de se preparar por si mesmas para permitir que isso aconteça.

Havia um carvalho nas margens de um rio. A seus pés crescia um junco. Todo dia o carvalho recriminava o junco por constantemente se dobrar de um lado ou de outro, conforme a vontade do vento. "Veja o meu exemplo, pequeno junco", o carvalho dizia. "Veja como não me curvo a ninguém, pois sou um carvalho e sou forte." O junco nada dizia; não havia o que dizer.

Uma noite, uma tremenda tempestade desabou. O vento soprou ferozmente, muito mais forte do que o usual. Na manhã seguinte, o carvalho estava partido em dois, mas o junco ainda estava de pé, balançando-se sob os raios do sol.[13]

RESUMINDO

Quer seja tratada ou não, a depressão parece desaparecer muito abruptamente. Pode demorar semanas ou mais de um ano, mas a cura acontece. O transtorno pode voltar se as condições que o causaram se repetirem; parece que o corpo, porém, se ajusta ao desequilíbrio no sistema e se corrige — até uma próxima vez.

Nosso corpo parece não tolerar emoções extremadas durante muito tempo. Pense no êxtase de um novo amor — do tipo em que você sente que está flutuando no ar, não consegue se concentrar, não consegue comer, sempre está no auge. Isso nunca dura muito tempo. Nós criamos endorfinas — neuroquímicas que nos fazem sentir muito bem —, mas, como toda nova sensação, depois de um tempo estamos sobrecarregados e nossas células param de responder.

É possível evitar a depressão? **119**

O "auge" da emoção de estar amando é criada dentro de nós pelos nossos próprios pensamentos sobre a pessoa em questão e pela necessidade que temos de sentir aquela emoção, naquele momento. O fato de isso acontecer muito mais vezes durante nossa adolescência parece sugerir que poderia ser algo desencadeado pelas mudanças hormonais. No entanto, ainda é preciso uma dose elevada de nosso próprio pensamento para que realmente aconteça. Não é irracional, portanto, supor que a depressão possa ser desencadeada por mudanças físicas semelhantes combinadas com nossos pensamentos. Todavia, o que exatamente desencadeia essas mudanças físicas ainda não se tem certeza.

Somos responsáveis pela maneira como nós somos, e por mais ninguém. Não podemos, em última instância, culpar ninguém por nossos problemas; o remédio está unicamente em nós mesmos. O que aconteceu no passado, o que nossos pais fizeram ou deixaram de fazer, não é especialmente importante. Importante é o que pensamos sobre o que aconteceu conosco. Não podemos mudar o passado, mas podemos mudar o que pensamos sobre ele. Freqüentemente o ponto crucial para enfrentar e superar a depressão é mudar nosso pensamento.

Para evitar a depressão, responsabilize-se por sua própria vida. Aprenda com o passado e depois o esqueça. Aceite o que você não pode mudar e confie em você mesmo.

Notas

1. Sue Breton, *Don't Panic*, Optima.
2. G. W. Brown and T. Harris, *Social Origins of Depression*, Cambridge, Cambridge University Press.
3. J. Price, "Neurotic and Endogenous Depression: A Phylogenic View", *British Journal of Psychiatry*, vol. 114, 1968.
4. Brown and Harris, *Social Origins of Depression*.
5. M. Hutchinson, *Mega Brain Power*, Hyperion.
6. Sack et al., "Biological Rhythms in Psychiatry", in Metzer (ed.), *Psychotherapy: The Third Generation of Progress*, Raven Press.
7. D. Healy and J. M. G. Williams, "Dysrhythmia, Dysphoria and Depression. The Interaction of Learned Helplessness and Circadian Dysrhythmia in the Pathogenesis of Depression", *Psychological Bulletin*, vol. 103, 1988.
8. R. J. Davidson et al., "Approach-Withdrawal and Cerebral Asymmetry: Emotional Expression and Brain Physiology", *Journal of Personality and Social Psychology*, vol. 58, 1990.
9. C. McCullough, *Pássaros Feridos*, Difel.
10. D. Rowe, *Depressão: Como Sair Dessa Prisão*, Mercuryo.
11. E. M. Forster, *Collected Short Stories*, Penguin.
12. C. N. Shealy et al., "Depression — A Diagnostic Neurochemical Profile and Therapy with Cranial Electrical Stimulation (CES)", *Journal of Neurological and Orthopedic Medicine and Surgery*, vol. 10, 1989.
13. Adaptado de La Fontaine, Fábulas: *O Carvalho e o Caniço*. Revan.

Leituras complementares*

Andrew Canale, *Beyond Depression*, Element.
Bloomfield e McWilliams, *How to Heal Depression*, Thorsons.
David Kinchin, *Post Traumatic Stress Disorder*, Thorsons.
Dorothy Rowe, *Breaking the Bonds*, HarperCollins.
Philip J. Barker, *A Self-Help Guide to Managing Depression*, Chapman & Hall.
Richard Gillett, *Superando a Depressão*, Nova Cultural.
Robert Priest, *Anxiety and Depression*, Optima.
Sally Burningham, *Young People Under Stress: A Parent's Guide*, Virago.
Sue Breton, *Why Worry*, Element.
(Este livro descreve técnicas de pensamento positivo em detalhes.)

Também, para ajudar a salvaguardar a boa saúde futura:
Pensamento Positivo, Vera Peiffer, Nova Era, Record.
E para os que estão confusos com as dificuldades de relacionamento:
Solteira e Feliz, Vera Peiffer, Objetiva.

---

* No caso de livros já publicados no Brasil, colocamos apenas o título da obra em português, com sua respectiva editora.

Glossário

Aceitação Tomar as coisas como elas são, em vez de fingir que são como você gostaria que fossem.

Amor Aceitar alguém com quem você está profundamente ligado como ele é e permitir que ele viva como quer.

Antidepressivos Medicamentos cujo objetivo maior é afastar os sintomas depressivos.

Bioquímicas Substâncias químicas naturais criadas pelo corpo.

Depressão bipolar Forma de doença depressiva em que a pessoa passa por períodos de humor tanto anormalmente eufórico quanto depressivo.

Depressão clínica "Baixo-astral" que é mais profundo que o normal e/ou continua por um tempo anormalmente longo.

Depressão endógena Descrição antiga de uma depressão causada e mantida por mudanças químicas internas.

Depressão grave Terceiro estágio do transtorno depressivo, quando a pessoa já não é mais capaz de se ajudar. A ajuda profissional é premente.

Depressão leve Primeiro estágio da doença depressiva no qual poucos sintomas são observados. Este estágio pode ser superado com medidas de auto-ajuda.

Depressão moderada Segundo estágio da doença depressiva. Os sintomas, como problemas de sono e pensamentos negativos, são mais fortes. A pessoa pode necessitar de ajuda.

Depressão reativa Definição antiga para o transtorno depressivo provocado por circunstâncias ruins; por exemplo, desemprego.

Depressão unipolar O indivíduo apresenta somente humor deprimido em graus variados.

124 *Depressão*

Desesperança Quando você acha que não há saída para seu sofrimento.

Endorfinas Química produzida pelo corpo provocando a sensação de bem-estar. Assim chamadas porque são uma forma de "morfina endógena", isto é, uma droga produzida dentro do próprio corpo que dá à pessoa uma sensação semelhante à produzida quando se toma morfina.

Estado da personalidade O humor do momento. Isso pode mudar de acordo com as circunstâncias e é sempre passageiro.

Euforia Sentimento de "alto-astral". É um sintoma comum da fase maníaca da depressão bipolar.

Falsa crença Crenças tidas por pessoas deprimidas, geralmente sobre si mesmas, em virtude das quais acreditam e agem sem nenhuma justificativa. Por exemplo: "Tudo o que eu faço está errado".

Falsa decisão Quando uma pessoa se deixa convencer a tomar uma decisão contra seus verdadeiros desejos.

Fase depressiva Período de "baixo-astral" vivido por alguém que tem um transtorno bipolar.

Hormônios Químicas liberadas na corrente sangüínea por uma determinada glândula ou tecido que têm um efeito específico em todos os outros tecidos. Por exemplo: o efeito do estrogênio no sistema reprodutivo.

Impotência Quando você se acha incapaz de influir no que está acontecendo em sua vida, ainda que ache que deveria fazê-lo.

Influências do meio Influências de outra pessoa ou estilo de vida em nossa maneira de viver. Toda influência que não vem de dentro de nós.

Influências genéticas Tendências com as quais nascemos porque foram herdadas em nossos genes.

Insônia Incapacidade de seguir o que é considerado um padrão normal de sono.

Mania A fase "alta" de uma depressão bipolar.

Maníaco Descrição da pessoa na fase "alta" da depressão bopolar. Alguém que está anormalmente alegre e animado quando as condições não o justificam.

Glossário 125

Memória dependente do estado Lembranças que ocorrem durante um determinado estado ou humor e que ficam com ele associadas.

REM **Rapid Eye Movement** (Movimentos Rápidos dos Olhos). Designa um período determinado do ciclo normal do sono durante o qual sonhamos. As pessoas que sistematicamente são impedidas de passar por este estágio ficam muito perturbadas.

Neurotransmissor Química liberada pelas pontas dos nervos, que transmitem impulsos de uma célula nervosa para outra ou para um músculo.

Psicose maníaco-depressiva Depressão bipolar na qual o paciente apresenta fases de "altos" e "baixos", isto é, tanto humor eufórico quanto depressivo.

Ritmo circadiano Padrão biológico baseado no ciclo diário de cerca de vinte e quatro horas, p. ex., dormir e comer.

SFC Síndrome da Fadiga Crônica (também considerada similar a, ou a mesma que Myalgic Encephalomielitis ou ME), freqüentemente ocorre depois de uma infecção viral. A pessoa fica muito cansada e apática sem razão real. Pode durar de meses a anos.

Sistema imunológico Uma série de células e proteínas que trabalham para proteger o corpo contra as infecções de microrganismos potencialmente prejudiciais.

Suicídio acidental Quando a pessoa finge que está tentando o suicídio para conseguir que alguém a escute ou preste atenção em seus problemas, mas faz um cálculo errado e morre.

Suicídio em família Quando um dos pais, com uma doença depressiva, não vê futuro para si mesmo e tampouco para seus filhos, o que o faz também tirar a vida dos filhos.

TAS Transtorno Afetivo Sazonal: depressão causada por insuficiência da luz solar.

TEC Terapia Eletroconvulsiva, isto é, administração controlada de choque elétrico no cérebro, geralmente para tirar o paciente da depressão.

126　*Depressão*

TEPT　Transtorno de Estresse Pós-Traumático. Acontece quando a pessoa passa por alguma situação profundamente estressante, como um grande desastre. Algumas semanas ou meses depois, pode ficar deprimida e/ou ansiosa.

Traço da personalidade　Aspecto razoavelmente permanente de sua personalidade que dá o colorido à maneira como você interpreta o que acontece a sua volta; por exemplo, se você é pessimista ou otimista.

Tranqüilizantes　Drogas cujo objetivo principal é acalmar o paciente.

Transtorno afetivo　Quando a pessoa passa por humores que não são apropriados às suas circunstâncias, ou que são inadequadamente intensos.

Transtorno de adaptação　Dificuldade psicológica de se adaptar a um modo diferente de vida, causando ansiedade e/ou sintomas depressivos.

Transtorno de humor　Qualquer humor anormal, seja de alegria ou tristeza, quando nada aconteceu para justificá-lo.

Transtorno recorrente　O transtorno que melhora, mas volta a aparecer em intervalos variados.

Índice remissivo

aceitação, 114, 116, 117, 123
aconselhamento, *ver* auto-ajuda
adolescentes, 60, 64, 87, 88
álcool, 34, 72, 75
alimentos como gatilho, 37
alucinação, 11, 14, 15, 49
amigos, apoio de, 84, 85, 87, 97
amor, 86, 87, 105, 106, 122
ansiedade, 23, 25, 44, 47, 59, 61, 76, 99, 108,110, 111, 113, 123
antidepressivos, ver remédios
apetite, 15, 20
apoio profissional, 76, 89, 100, 122
   em relação ao suicídio, 67, 70
   na depressão grave, 77
   para parentes, 67, 84, 85, 87
   tipos de cuidados com a saúde, 77, 78
   tratamentos disponíveis, 77, 78
aspirações, 63, 114
ataques de pânico, 23, 77
atitude positiva, ver auto-ajuda
atividade criativa, ver auto-ajuda
auto-ajuda,
   aconselhamento, 77, 97, 108
   atitude positiva, 38, 98, 99
   atividade criativa, 50, 51, 96
   esperança, 95
   exercício, 47, 95-7
   fazendo um diário, 97
   grupos organizados, 81
   notícias, evitar, 95, 96

realização, 97
risos, 97
autoconfiança, 15, 26, 33, 117, 119
   autodepreciação, 15, 23
auto-estima,
   perda de, 15, 17, 20, 26, 28, 33, 35, 36, 41, 42, 69, 73, 84, 85, 87, 93, 102
   recuperação, 93, 95, 100, 108

"baby blues", 26, 43
barulho, tolerância reduzida a, 16, 20
bioquímicas, 9, 122

cérebro,
   atividade, 50, 51
   dano, 28
   hemisférios, 39, 40, 96
ciclo mestrual, 32, 43, 44
círculo vicioso, 56, 57
crenças religiosas, 94

delegação de autoridade, 59
depressão bipolar, 10, 27, 34-6, 44, 50, 123
depressão clínica, definição, 55, 123
depressão endógena, 9, 123
depressão grave, 10, 15, 17, 27, 37, 43, 54, 68, 77, 81, 123
depressão leve, 10, 16, 77, 81, 123
depressão mascarada, 20-3
depressão moderada, 10, 17, 81, 123

128 *Depressão*

depressão pós-parto, 26, 27, 43
depressão profunda, 107
depressão reativa, 9, 10, 123
depressão unipolar, 10, 13, 19, 20, 22, 34, 38, 123
desesperança, 55, 57, 59-61, 63, 64, 104, 123
doença de Alzheimer, 28
doença física, 28, 39, 44, 58, 70, 75
doença psíquica, 75

ECE (Eletroencefalograma, Teste), 40, 50, 51
ECE (Estimulador Cranial Elétrico), 79
emoções,
    chantagem emocional, 60, 61
    equilíbrio, 118
    perda de, 16, 20
endorfinas, 118, 123
estatística, 67, 69
estigma da doença mental, 21
estresse, 21, 23, 36, 39, 52, 69, 76, 96, 107, 123
euforia, 9, 50, 123, 124

falsa crença, 90, 91, 93, 124
falsa decisão, 83, 84, 85, 124
família, apoio de, 84, 85, 87
fase depressiva, 123
fatores de manutenção, 31, 37, 38
"flash backs", 25

gatilhos, 31, 36, 37, 41, 43, 45, 57, 113, 115
gêmeos, 34, 35
gravidez, 32

hipomania, 12
homens, 31, 32, 33, 34, 36, 43, 44, 69, 71, 75
hormônios, 32, 37, 43, 44, 45, 119, 124

identidade, perda, 42

impotência, 55, 57, 58, 59, 60, 61, 124
influências do meio, 35, 37, 38, 124
influências genéticas, ver em tendências hereditárias
insônia, 12, 25, 28, 124
intimidação, 61, 88

lados do cérebro, 39, 40, 50, 51
luto, 27, 69
luz, tolerância reduzida a, 16, 20

mãe, perda da, 34
mania, 10, 11, 13, 22, 124
maníaco-depressivo, 50, 124
ME (Myalgic Encephalomielitis), 21, 124
memória dependente do estado, 116, 124
menopausa, 32, 35
motivação, falta de, 17, 18
mudança de humor, grave, 10, 14
mulheres, 31, 32, 33, 35, 36, 43, 44, 69, 71, 75
músculos faciais, 39, 40

neurastenia, 20, 21
neurotransmissor, 45, 46, 49, 124

parto, 26, 32, 43
personalidade depressiva, 28, 29, 38, 41
personalidade,
    estado, 29, 123
    traço, 28, 29, 37, 38, 125
personalidade, tipos,
    doador, 102, 103, 104, 109
    tomador, 102, 103
pessimismo, 16
pessoas idosas, 28, 35, 69, 87, 88
predisposição genética, 34
psicólogos, 78, 97
psicose maníaco-depressiva, 9, 10, 125
psicose puerperal, 37, 43, 44
psiquiatras, 77

Índice remissivo   129

raiva, 92, 94, 98
recuperação espontânea, 81
relação corpo-mente, 38
relacionamentos, 34, 35, 36, 69,
   97, 101, 103, 111, 112
   fidelidade, 65
relógio do corpo, 49
REM (*Rapid Eye Movement* —
   Movimentos Rápidos dos
   Olhos), 48, 125
remédios,
   antidepressivos, 19, 26, 41,
   47, 48, 49, 56, 57, 76, 77, 78,
   79, 80, 122
   overdose, 34, 73
   tranqüilizantes, 77, 78, 79, 126
riso, 46
ritmo circadiano, 46, 49, 125

sexo, perda de interesse, 13, 14, 20
SFC (Síndrome da Fadiga
   Crônica), 21, 44, 125
sistema imunológico, 51, 52, 58,
   59, 125
sono, 15, 20, 22, 26, 49
suicídio, 34, 67, 68, 73, 74
   acidental, 71, 72, 125
   ajuda profissional, 67
   ameaças, 67, 68
   em família, 71, 125

em depressão recorrente, 20
em depressão unipolar, 16
grupos de risco, 61, 65, 69
por *overdose* de remédio,
   72, 73
tentativa, 67, 68, 70

TAS (Transtorno Afetivo Sazonal),
   22, 48, 80, 124
TEC (Terapia Eletroconvulsiva), 79,
   125
técnicas de relaxamento, 23, 99
tendência hereditária, 34, 35, 37,
   51, 124
TEPT (Transtorno de Estresse
   Pós-Traumático), 25, 58,
   89, 126
terapia cognitiva, 76
terapia com luz, 48, 80
tipos de depressão, 9
tranqüilizantes, ver remédios
transtorno afetivo, 9, 11, 13, 126
transtorno de adaptação, 28, 126
transtorno de humor, 11, 22, 126
transtorno recorrente, 19, 126

violência, reação a, 25
visualização, 99, 115
vozes imaginárias, 11, 15, 17

A autora

Sue Breton é experiente psicóloga clínica. Atende em seu consultório particular e tem vários anos de prática ajudando pessoas com diferentes tipos de depressão. É também autora do livro *Gente que se Preocupa Demais: Como Superar o Estresse*, publicado no Brasil pela Editora Angra.

Impresso em off set

Rua Clark, 136 – Moóca
03167-070 – São Paulo – SP
Fonefax: (0XX) 6605 - 7344
E - MAIL - bookrj@uol.com.br

com filmes fornecidos pelo editor

LEIA TAMBÉM

ANOREXIA E BULIMIA
Julia Buckroyd

Nos últimos 25 anos, a anorexia e a bulimia transformaram-se em endemias entre os jovens do mundo ocidental. O livro traz informações atualizadas sobre o assunto, que ainda é pouco conhecido e que atinge uma enorme camada de jovens entre 15 e 25 anos de idade. A autora esclarece como a sociedade e a cultura colaboram com a criação dessas doenças, descreve os sintomas, as conseqüências e também como ajudar no âmbito familiar e profissional. REF. 20710.

ANSIEDADE, FOBIAS E SÍNDROME DO PÂNICO
Elaine Sheehan

Milhares de pessoas sofrem de síndrome do pânico ou de alguma das 270 formas de fobias conhecidas. O livro aborda os diferentes tipos de ansiedade, fobias, suas causas e sintomas. Ensina meios práticos para ajudar a controlar o nível de ansiedade e orienta quanto à ajuda profissional quando necessária. REF. 20707.

ESTRESSE
Rochelle Simmons

Informações de caráter prático sobre este "mal do século" tão citado e pouco entendido. Descreve a natureza do estresse, técnicas de relaxamento e respiração, ensina a acalmar os sentidos e a gerenciar o estresse de forma positiva. REF. 20708.

LUTO
Ursula Markham

Todos nós, mais cedo ou mais tarde, vamos ter de lidar com a perda de alguma pessoa querida. Alguns enfrentarão o luto com sabedoria inata; outros, encontrarão dificuldades em retomar suas vidas. Este livro ajuda o leitor a entender os estágios do luto, principalmente nos casos mais difíceis como os das crianças enlutadas, a perda de um filho ou, ainda, os casos de suicídio. REF. 20712.

TIMIDEZ
Linne Crawford e Linda Taylor

A timidez excessiva interfere na vida profissional, social e emocional das pessoas. Este livro mostra como identificar o problema e como quebrar os padrões de comportamento autodestrutivos da timidez. Apresenta conselhos e técnicas simples e poderosas para enfrentar as mais diversas situações. REF. 20706.

TRAUMAS DE INFÂNCIA
Ursula Markham

Um trauma de infância pode ter sido causado pela ação deliberada de uma pessoa ou pode ter ocorrido acidentalmente. A autora mostra como identificar esse trauma e como lidar com ele por meio de exercícios e estudos de caso. O número de pessoas que sofreu alguma situação traumática na infância é imenso e a leitura deste livro poderá ajudá-las a superar e a melhorar sua qualidade de vida. REF. 20709.

VÍCIOS
Deirdre Boyd

Os vícios – álcool, drogas, sexo, jogo, alimentos e fanatismos – constituem um dos maiores problemas a enfrentar atualmente no mundo todo. Eles comprometem a vida de pessoas de idades e classes sociais variadas, tanto as adictas quanto seus familiares e companheiros. O guia mostra os últimos estudos sobre as origens dos vícios, suas similaridades e como lidar com cada um deles. REF. 20711.

- - - - - - - - - - - dobre aqui - - - - - - - - - - - - -

ISR 40-2146/83
UP AC CENTRAL
DR/São Paulo

CARTA RESPOSTA
NÃO É NECESSÁRIO SELAR

O selo será pago por

SUMMUS ƎDITORIAL

05999-999 São Paulo-SP

- - - - - - - - - - - dobre aqui - - - - - - - - - - - - -

DEPRESSÃO

ÁGORA

CADASTRO PARA MALA-DIRETA

**Recorte ou reproduza esta ficha de cadastro, envie completamente preenchida por correio ou fax,
e receba informações atualizadas sobre nossos livros.**

Nome:_____ Empresa:_____

Endereço: ☐ Res. ☐ Coml. _____ Bairro:_____

CEP: _____-_____ Cidade: _____ Estado: _____ Tel.: ( ) _____

Fax: ( ) _____ E-mail: _____ Data de nascimento: _____

Profissão:_____ Professor? ☐ Sim ☐ Não Disciplina: _____

1. Você compra livros:

☐ Livrarias   ☐ Feiras
☐ Telefone   ☐ Correios
☐ Internet   ☐ Outros. Especificar:_____

2. Onde você comprou este livro?

_____

3. Você busca informações para adquirir livros:

☐ Jornais   ☐ Amigos
☐ Revistas   ☐ Internet
☐ Professores   ☐ Outros. Especificar:_____

4. Áreas de interesse:

☐ Psicologia   ☐ Comportamento
☐ Crescimento Interior   ☐ Saúde
☐ Astrologia   ☐ Vivências, Depoimentos

5. Nestas áreas, alguma sugestão para novos títulos?

_____
_____

6. Gostaria de receber o catálogo da editora? ☐ Sim ☐ Não

7. Gostaria de receber o Ágora Notícias? ☐ Sim ☐ Não

cole aqui

Indique um amigo que gostaria de receber a nossa mala-direta

Nome:_____ Empresa:_____

Endereço: ☐ Res. ☐ Coml. _____ Bairro:_____

CEP: _____-_____ Cidade: _____ Estado: _____ Tel.: ( ) _____

Fax: ( ) _____ E-mail: _____ Data de nascimento: _____

Profissão:_____ Professor? ☐ Sim ☐ Não Disciplina: _____

Editora Ágora

Rua Itapicuru, 613 Conj. 72 05006-000 São Paulo - SP Brasil Tel (11) 3872 3322 Fax (11) 3872 7476
Internet: http://www.editoraagora.com.br   e-mail: agora@editoraagora.com.br